Gestão do Clima Organizacional

RICARDO LUZ

Gestão do Clima Organizacional

QUALITYMARK

Copyright© 2018 by Ricardo Luz

Todos os direitos desta edição reservados à Qualitymark Editora Ltda.
É proibida a duplicação ou reprodução deste volume, ou parte do mesmo, sob qualquer meio, sem autorização expressa da Editora.

Direção Editorial	Produção Editorial
SAIDUL RAHMAN MAHOMED editor@qualitymark.com.br	EQUIPE QUALITYMARK

Capa	Editoração Eletrônica
WILSON COTRIN	ARAUJO EDITORAÇÃO

1ª Edição: 2003
1ª Reimpressão: 2005
2ª Reimpressão: 2006
3ª Reimpressão: 2007
4ª Reimpressão: 2009
5ª Reimpressão: 2010
6ª Reimpressão: 2012
7ª Reimpressão: 2014
8ª Reimpressão: 2018

CIP-Brasil. Catalogação-na-fonte
Sindicato Nacional dos Editores de Livros, RJ

L994g

    Luz, Ricardo
        Gestão do clima organizacional / Ricardo Luz. – Rio de Janeiro : Qualitymark Editora, 2018.
        160 p. ; 23 cm.

        ISBN 978-85-7303-737-1

        1. Compromisso organizacional. 2. Satisfação no trabalho. I. Título.

03-1485   CDD: 658.31422
                                                                                                   CDU: 658.310.4

2018
IMPRESSO NO BRASIL

Qualitymark Editora Ltda.
Rua José Augusto Rodrigues, 64 – sl. 101
Polo Cine e Vídeo – Jacarepaguá
CEP: 22275-047 – Rio de Janeiro – RJ

www.qualitymark.com.br
E-mail: quality@qualitymark.com.br
Tels.: (21) 3597-9055 / 3597-9056
Vendas: (21) 3296-7649

Dedico este livro a
Márcia, Vanessa,
Rodrigo e Pedro.

AGRADECIMENTOS

Aos que me honraram em conhecer meus pensamentos e minhas contribuições sobre esse importante tema, abordados no livro *Clima Organizacional*.

Ao editor Saidul Rahman Mahomed, pela confiança e pelo apoio que vem demonstrando aos novos autores brasileiros.

Ao meu sogro, Nelson Moritz, detentor de uma enorme sabedoria e experiência, a quem devo muitos ensinamentos que me tornaram um observador mais atento do ambiente organizacional.

Aos amigos e professores Mauro Osório, Márcio Dantas, Paulo Cesar Teixeira, Thadeu do Couto, Dílson Taveira, Antonio Carlos Orofino, Grimalde Máximo, José Maria Rodrigues Noronha, Luiz Afonso Kaner, Solange Pose, Antonio Carlos Bento Ribeiro, Marcelino Thadeu, Antonio Carlos Seabra, Guilherme Balbone, Martha Maria Freitas da Costa e Carlos Silva, pelo incentivo permanente que recebo em nossa convivência profissional.

Aos amigos professor Marco Antonio Carvalho, Luiz Augusto Costa Leite e Tjerk Franken, com quem muito compartilho e aprendo sobre clima organizacional.

À amiga Sonia Regina dos Santos Mendonça, pela colaboração que me proporcionou, produzindo as ilustrações utilizadas na pesquisa socioeconômica.

APRESENTAÇÃO

Este livro tem como objetivo compartilhar com os leitores um pouco da minha experiência profissional sobre um tema da maior importância para as empresas, especialmente para a Administração de Recursos Humanos: trata-se do Clima Organizacional, que retrata o grau de satisfação das pessoas no ambiente de trabalho.

Não abordo o tema à luz de teorias psicológicas. Faço-o de forma prática sob a ótica de um observador atento e interessado nos ambientes das organizações. Não tenho, também, o propósito de sugerir um modelo de intervenção no clima organizacional, tampouco tratar com profundidade sobre as variáveis que o afetam positiva ou negativamente.

Meu objetivo é discutir o tema, cuja literatura específica é tão escassa, e apresentar uma metodologia capaz de diagnosticar o clima das organizações, fornecendo elementos capazes de desencadear ações por parte das empresas, visando à melhoria contínua do ambiente de trabalho, e, por conseqüência, a melhoria da qualidade de vida no trabalho, o aumento da motivação e do comprometimento dos empregados com os resultados das organizações.

O livro está dividido em duas partes. Na primeira, apresenta os aspectos teóricos sobre o tema: conceitos de clima e cultura organizacionais, diferenças entre clima e cultura, a quem compete a avaliação do clima, as diferentes formas de manifestação do clima, a relação do clima com a qualidade dos serviços, as estratégias de avaliação do clima, as técnicas de pesquisa de clima, os aspectos da empresa que são tradicionalmente pesquisados.

Na segunda parte, o livro aborda os aspectos práticos, tais como: o planejamento de uma pesquisa, um roteiro completo (passo a passo) para implantação de uma pesquisa de clima, os cuidados que devem ser observados na sua realização, a tabulação, a divulgação dos resultados da pesquisa e, finalmente, um modelo completo de uma pesquisa de clima organizacional.

Neste momento de acirrada competição, em que muitas empresas vêm passando por processos de fusão, aquisição, privatização, terceirização, *downsizing*, PDV (Programa de Demissão Voluntária), drástica redução de seus quadros de pessoal, o que se pode esperar do estado de ânimo das pessoas que trabalham? Insegurança, desconfiança, perda de lealdade, apreensão, insatisfação. Hoje em dia, mais do que no passado, é comum encontrarmos pessoas reclamando das empresas onde trabalham.

Não bastassem esses aspectos conjunturais, deparamo-nos ainda no dia-a-dia das organizações com a velocidade das mudanças e com modelos de gestão que muito contribuem para a redução do nível de qualidade de vida no trabalho. Empresas extremamente enxutas, ávidas pelo aumento de produtividade, obrigam seus funcionários a realizarem tarefas cada vez mais compelidas pela exigüidade de tempo. Muitos gestores ainda impõem aos seus auxiliares a gestão pelo medo, o assédio moral.

Entre os milhões de trabalhadores, imaginem quantos estão insatisfeitos com as suas empresas? Motivos não bastam: a remuneração, o tipo de trabalho que exercem, o estilo e a capacidade de seus gestores, as inadequadas condições de trabalho, a falta de perspectiva de desenvolvimento ou de crescimento profissional, a falta de reconhecimento e valorização, a pressão que recebem para realizar seus trabalhos, a falta de segurança em seus empregos, os conflitos com colegas de trabalho e superiores, o rigor disciplinar, o excessivo volume de trabalho, a velocidade das mudanças dos produtos e dos serviços, as interrupções freqüentes no trabalho, a falta de transparência da empresa no seu processo de comunicação, a falta de clareza da empresa na comunicação de seus objetivos e de suas estratégias, a falta de ética e de compromisso da empresa com a qualidade de seus produtos, serviços e satisfação dos seus clientes externos e internos, a falta de aproveitamento do potencial dos empregados, entre tantos outros.

Como se vê, é enorme a capacidade que as empresas têm de "fazer" mal aos seus colaboradores, em oposição às suas possibilidades de gerar satisfação e felicidade para os que nelas trabalham. Urge, pois, melhorar a qualidade de vida no trabalho, tornar a empresa um bom lugar para trabalhar.

A cada dia surge um fato novo e relevante no contexto social, econômico, político e cultural, que "mexe" com a cabeça das pessoas, impactando seus valores e, conseqüentemente, suas atitudes em relação ao trabalho. É preciso que as organizações estejam atentas a isto. É importante que pesquisem mais, que valorizem os instrumentos de avaliação da satisfação das pessoas no trabalho.

É preciso que os administradores tenham ouvidos interessados e olhos atentos para o comportamento das pessoas no trabalho. Isso só será possível quando estiverem convencidos e sensibilizados, da importância dos recursos humanos e do clima de suas organizações, e de que só é excelente a empresa que estende excelência à qualidade de vida de seus funcionários.

Nesse sentido, é imperativa a gestão do clima organizacional. É indispensável conhecer o que os funcionários pensam sobre a empresa e qual a sua atitude em relação aos diferentes aspectos de uma organização. Só assim é possível melhorar a qualidade do ambiente de trabalho, a qualidade de vida das pessoas no trabalho e, conseqüentemente, a qualidade dos serviços prestados pela empresa.

Os estudos publicados pela Revista Exame sobre as 100 Melhores Empresas para se Trabalhar têm demonstrado que investir nas pessoas também faz bem para os negócios. Esses estudos demonstram que nessas empresas a rentabilidade do patrimônio líquido é muito superior ao das 500 Maiores Empresas, também divulgadas pelo anuário da mesma revista.

Espero que esta obra possa sensibilizar e ser utilizada por um número cada vez maior de profissionais dos meios empresarial e acadêmico, interessados no aperfeiçoamento contínuo das relações de trabalho.

O autor.

PREFÁCIO

"Gestão do clima organizacional" é sem dúvida uma grande contribuição ao debate contemporâneo no mundo empresarial.

Ricardo Luz, nos remete a dois importantes temas da atualidade: o ambiente relacional interno das organizações e seu método de investigação aplicado e fundamentado por sua larga experiência como consultor e executivo da área de Recursos Humanos. Um trabalho bastante fascinante, desafiador e sobretudo voltado para as organizações que têm nas pessoas a estratégia de desenvolvimento e diferencial competitivo.

Ele o fez, como enfatiza, de *forma prática sob a ótica de observador atento e interessado nos ambientes organizacionais* porém, considerando sua *expertise,* adotando postura ética e científica em seus métodos de pesquisa, abordagem e avaliação do sentido qualitativo da vida no trabalho.

Há que se considerar que a narrativa didática e a aplicabilidade identificada de suas ferramentas *per si* justificam sua leitura e a multiplicação de seus conceitos no sentido da melhoria contínua dos processos organizacionais.

A gestão contemporânea de empresas, no que tange aos aspectos da dimensão humana, tem, no equilíbrio da dinâmica das relações, um de seus fatores críticos de sucesso. A identificação e o envolvimento das pessoas com os processos de trabalho passaram a ser determinantes para este equilíbrio. À empresa de nossos tempos coube estimular e facilitar estas percepções, principalmente, através da promoção de ambientes relacionais saudáveis e capazes de contribuir de forma efetiva para a realização profissional individual. Neste sentido a empresa passa a ser entendida como segmento fundamental, perfeitamente integrada ao projeto pessoal de vida e felicidade de seus funcionários e colaboradores mais próximos. A questão é que *os administradores tenham ouvidos interessados e olhos atentos para o comportamento das pessoas no trabalho.* Reafirmando, ainda, a opinião do autor *só é excelente a empresa que estende excelência à qualidade de vida de seus funcionários.*

A dimensão humana da gestão, portanto, está sedimentada em princípios básicos e conceitos de equilíbrio substancial entre a realização pessoal e a determinação de metas operacionais e de produção correlacionadas com a demanda sócioeconômica dos mercados e suas diversas formas de competição.

O diferencial determinado pelas pessoas no universo competitivo, por outro lado, antecipou fenômenos próprios da substituição paradigmática, dependentes da habilidade na administração de conflitos e de comportamentos, pouco pensada e considerada no âmbito das organizações modernas e sobretudo, influentes do clima organizacional. O advento do pensamento corporativo estratégico além das teorias da qualidade incrementaram as adaptações dos modelos de gestão surgidos ao longo dos anos noventa passados aos propósitos de se gerar instrumentos gerenciais capazes de dar conta destes desafios da administração de RH, utilizando-se de indicadores próprios do controle e avaliação destes conceitos em sua totalidade com vistas às melhorias do desempenho organizacional.

Não bastasse a geração de metodologia gerencial própria, era preciso produzir conhecimento específico segmentado que fundamentasse a prática e servisse de parâmetro para a produção científica. Acredito, neste sentido, que a última década tenha sido uma das mais ricas para a produção do conhecimento tendo os recursos humanos como objeto de estudo, haja vista o surgimento de excelentes pesquisas nesta área de concentração durante este período.

No processo evolutivo do pensamento estruturado das organizações, duas questões despontaram na análise setorial: a comunicação interna bem estabelecida e objetiva utilizada como instrumento gerencial e a dinâmica relacional pessoas x processos facilitada pelo envolvimento individual paulatino em procedimentos de melhorias e geração da cultura institucional. Ou seja, as pessoas engajadas, buscando sentido em suas relações com o trabalho, valorizando os canais de comunicação e o tratamento ético das informações num ambiente cultural sinérgico.

Juram e Deming sinalizaram para a importância da promoção da sinergia para a melhoria dos processos de produção. O desenvolvimento é diretamente dependente do grau de compreensão da relevância e importância do papel das pessoas nos processos tático-operacionais. Daí a importância da educação ênfase para o treinamento continuado e do envolvimento das pessoas nas decisões e formulações estratégicas pertinentes aos cargos, funções e níveis de competência exercidos. Tais providências permitem ouvir e considerar suas intervenções, compartilhando decisões e responsabilidades, considerando a importância e levando em conta ponderações e críticas construtivas e contributivas para as instituições em respeito às suas diversidades e dinâmica funcional.

Fosse fácil gerir esta tríade comportamento, relacionamento e comunicação entre as pessoas, não teríamos problemas com as questões preponderantes para o clima organizacional, não haveria necessidade de analisá-lo e sequer levá-lo em consideração em suas vertentes social e econômica como tão bem identificadas e analisadas pelo autor.

É evidente que as organizações voltadas para os aspectos relacionais internos formataram ambientes favoráveis para o enfrentamento das adversidades ambientais externas e desenvolveram potencialidades diferenciadas no *front* concorrente, se colocando em situação de vantagem e privilégio.

A forma encontrada para a obtenção da parametrização necessária, a identificação de distorções no equilíbrio das forças internas e do clima relacional foi justamente a aplicação dos instrumentos de pesquisa no cotidiano gerencial.

Historicamente este instrumento vem passando por constantes reavaliações de eficácia e níveis de usabilidade em processos de decisão e contribuição para o macro desempenho institucional. O que não se discute é seu nível de importância para as linhas de análise e depuração situacional como facilitador e organizador do pensamento analítico.

O que promoveu nossa imediata identificação com o trabalho de Ricardo Luz é que sua metodologia de pesquisa, didaticamente explicada nesse livro, vem ao encontro da necessidade das organizações no que tange à mensuração dos impactos e resultados de suas políticas de RH e da análise da efetividade de suas intervenções no âmbito da dimensão humana e sua interface laborativa com o intuito de manter seu *status* corporativo e institucional.

Creio que por seu desejo final de *que por influência deste trabalho, mais empresas se juntem às que procuram ouvir seus empregados, encarando o clima organizacional como preocupação estratégica*, sinto que seu esforço acadêmico tende a se tornar um marco conceitual nestes tempos em que surgem novos modelos nas relações de trabalho e vinculação empresarial e cuja preocupação com a avaliação e melhoria é um fato.

Sua recompensa será não só a adoção metodológica de sua contribuição pelas empresas, mas o engrandecimento das instituições com a aplicação de seus pensamentos e ideal humanístico no âmago da existência corporativa.

Mais do que comentar sua proposta como modelo de gestão do clima organizacional, cresci em orgulho por ratificar seu talento para a reflexão e redesenho de nossas práticas na dinâmica das relações humanas e sua capacidade de se antecipar aos conceitos qualitativos do trabalho e da vida.

A leitura será bastante contributiva para os que sabem a importância de

escutar a voz do cliente e mais ainda a do colaborador .

Cândida Goes
Diretora de Recursos Humanos da L`Oréal Brasil

SUMÁRIO

Parte I – Aspectos Teóricos sobre Gestão do Clima Organizacional .. 5

AS GRANDES MUDANÇAS QUE ESTÃO AFETANDO OS AMBIENTES DE TRABALHO 7
O QUE É O CLIMA ORGANIZACIONAL? 10
CULTURA ORGANIZACIONAL 14
RELAÇÕES ENTRE CLIMA E CULTURA ORGANIZACIONAIS 20
POR QUE A ADMINISTRAÇÃO DE RH DEVE AVALIAR O CLIMA ORGANIZACIONAL? 22
A QUEM COMPETE AVALIAR O CLIMA ORGANIZACIONAL? 25
O CLIMA ORGANIZACIONAL E O SEU IMPACTO SOBRE A QUALIDADE DOS SERVIÇOS 28
TIPOS DE CLIMA ORGANIZACIONAL 31
COMO SE MANIFESTA O CLIMA ORGANIZACIONAL 32
ESTRATÉGIAS DE AVALIAÇÃO DO CLIMA ORGANIZACIONAL 35
TÉCNICAS DE PESQUISA DE CLIMA ORGANIZACIONAL 39
VARIÁVEIS ORGANIZACIONAIS 42

Parte II – Aspectos Práticos sobre Clima Organizacional: o Passo a Passo de uma Pesquisa de Clima 47

AS ONZE ETAPAS PARA A MONTAGEM E APLICAÇÃO DE UMA PESQUISA DE CLIMA ORGANIZACIONAL 49

1ª Etapa: Obtenção da Aprovação e do Apoio da Direção 50

2ª Etapa: Planejamento da Pesquisa 50

3ª Etapa: Definição das Variáveis (Assuntos a Serem Pesquisados). 53

4ª Etapa: Montagem e Validação do Instrumento de Pesquisa 54

5ª Etapa: Parametrização 56

6ª Etapa: Divulgação da Pesquisa (Antes da sua Aplicação) 57
7ª Etapa: Aplicação e Coleta da Pesquisa 58
8ª Etapa: Tabulação da Pesquisa 59
9ª Etapa: Emissão de Relatórios 71
10ª Etapa: Divulgação dos Resultados da Pesquisa 74
11ª Etapa: Definição de Planos de Ação 80
Estrutura Clássica de uma Pesquisa de Clima 80
Modelo de Questionário de Pesquisa de Clima Organizacional 84
Recomendações Importantes 103
Perguntas que não Podem Faltar numa Pesquisa de Clima
    Organizacional 106
A Pesquisa Socioeconômica como Complemento à Pesquisa
    de Clima 109
Textos sobre Clima Organizacional 127
O que Algumas Empresas estão Fazendo para Melhorar
    o Clima 130
Considerações Finais 140
Referências Bibliográficas 143

INTRODUÇÃO

Até bem pouco tempo atrás, nem os clientes externos das empresas tinham voz e vez. Havia uma crença generalizada entre os consumidores de que pouco adiantava reclamar de defeitos de produtos ou de serviços. Se os clientes externos não tinham voz, o que dizer dos funcionários das empresas, seus clientes internos?

Só recentemente foram criados foros para atendimento exclusivo aos clientes externos. Com o surgimento do Código de Defesa do Consumidor, a relação entre clientes e fornecedores mudou amplamente. Foram criados juizados especiais, como os de pequenas causas, que acenderam nos consumidores a esperança que lhes faltava. Hoje existe uma enxurrada de ações ajuizadas contra empresas, em função da má qualidade de seus produtos ou serviços.

Na esteira da solução dos problemas dos consumidores, surgiu o Procon, para agilizar suas demandas. Da mesma forma, as empresas passaram a ter maior preocupação com o atendimento das reclamações de seus clientes. Surgiram então os SACs – Serviços de Atendimento aos Clientes – um novo órgão que passou a ter autonomia nos organogramas das empresas.

O movimento em favor da Qualidade Total fez as empresas darem vez aos clientes internos, ou seja, aos seus funcionários. Esse movimento tem como pilares: o Zero Defeito, ou seja, produtos e serviços livres de defeitos, realizados corretamente da primeira vez; a Melhoria Contínua, ou seja, tudo na empresa deve ser continuamente aprimorado; e a Satisfação dos Clientes, tanto os externos quanto os internos.

Esse mesmo movimento introduziu no Brasil, a exemplo do que vem ocorrendo em outros países, o Prêmio Nacional da Qualidade, concedido às empresas que se destacam no campo da qualidade. Entre os critérios usados para a concessão desse importante prêmio, destaca-se a satisfação e o bem-estar dos funcionários, ou seja, a preocupação com o clima organizacional.

A mudança que as empresas vêm realizando em suas estruturas, como o *downsizing*, ou seja, a redução de seus níveis hierárquicos, a fim de torná-las mais ágeis, mais enxutas, menos onerosas, também favoreceu o aprimoramento do processo de comunicação com os funcionários, já que as estruturas deixaram de ficar tão pesadas, tão piramidais, assumindo uma configuração mais horizontal.

Muitas empresas estão passando por processos de fusão, aquisição, aliança estratégica, misturando culturas que muitas vezes apresentam valores e crenças conflitantes. Outras tantas organizações incorporaram ou estão implantando no seu cotidiano estratégias, como a privatização, a terceirização, a redução dos níveis hierárquicos ou a reengenharia, reduzindo drasticamente seus quadros de pessoal.

A abertura da economia brasileira, no início dos anos 90, acirrou a competição com a entrada de produtos e negócios estrangeiros, fazendo com que as organizações tivessem de cortar custos para se tornarem competitivas. A saída encontrada pelos empresários para enfrentar esse desafio foi cortar pessoal.

A recessão da economia, bem como a excessiva busca pela automação dos processos de fabricação e dos serviços também contribuíram para ceifar milhares de empregos.

Diante desse cenário, quantos empregados estão insatisfeitos e inseguros em seus ambientes de trabalho? Por outro lado, a lealdade deles aos poucos vai sendo substituída por sentimentos de indiferença, desconfiança ou insatisfação. Essa situação é ruim, tanto para eles quanto para as empresas. Nesse dilema, como fica o desempenho desses empregados? E os serviços cuja qualidade ou quantidade dependem essencialmente de quem os faz, de seu estado de ânimo, da sua motivação?

Não é difícil compreender por que tantas empresas apresentam produtividade tão baixa, tantos desperdícios, alta rotatividade, enorme absenteísmo, greves, inúmeras reclamatórias trabalhistas, tantos rumores, tantos conflitos, tantas idas ao consultório médico, que acaba funcionando como uma espécie de confessionário. São sinais de que o clima vai mal nessas organizações.

As empresas precisam conhecer o que pensam e como se sentem seus empregados, em relação às diferentes variáveis que afetam o clima, tais como: o salário, o trabalho que realizam, o relacionamento entre os diferentes setores da empresa, a supervisão, a comunicação, a estabilidade no emprego, as possibilidades de progresso profissional, a disciplina, os benefícios, o processo decisório, as condições de segurança do trabalho, entre outras.

Além desses aspectos internos das organizações, é indispensável conhecer a realidade familiar, social e econômica, na qual os trabalhadores vivem fora do ambiente de trabalho. Só assim os administradores de recursos humanos poderão encontrar explicações para algumas facetas do clima organizacional, nele interferindo quando necessário.

Conclui-se, pois, que administrar o clima passou a ser uma ação estratégica para todas as organizações, especialmente para aquelas que se dizem comprometidas com a gestão pela qualidade. Afinal, como se pode alcançar a qualidade dos produtos ou serviços se não houver qualidade na vida pessoal e profissional de quem os faz, se não houver qualidade no clima organizacional? O mesmo se aplica às empresas voltadas para a gestão participativa, já que a participação dos empregados, entre outras coisas, pressupõe ouvi-lo, tanto em relação às suas preocupações pessoais quanto profissionais.

Embora no âmbito corporativo administrar o clima seja responsabilidade da Administração de Recursos Humanos, em cada unidade das organizações esse compromisso passa a ser de todos aqueles que exercem cargos de gestão, pois conhecer o grau de satisfação, as expectativas e as necessidades da equipe de trabalho constitui um importante papel gerencial, essencial para o sucesso das organizações e para a qualidade de vida das pessoas que nelas trabalham.

Uma pesquisa recente encomendada pela revista MELHOR – Vida & Trabalho à consultoria Hay Group consultou 35 presidentes de empresas de grande porte de segmentos econômicos variados, sobre o papel da área de recursos humanos. Oitenta e dois por cento consideraram que a função recursos humanos exerce alto impacto na estratégia de seus negócios. Foi solicitado a esses presidentes que indicassem três aspectos em que a função de RH agrega mais valor aos negócios. A resposta mais citada pelos presidentes foi: Ajudando na melhoria contínua do clima de trabalho, com foco em resultados e que propicie inovação. Como se vê, gerenciar o clima organizacional constitui um papel estratégico para a área de recursos humanos.

A Fundação Instituto de Pesquisas Contábeis, Atuariais e Financeiras – Fipecafi –, ligada à Universidade de São Paulo, comprovou que investir em pessoas faz bem para os negócios e que as organizações com melhor ambiente de trabalho são mais lucrativas.

Como se vê, gerenciar o clima organizacional constitui um papel estratégico para a área de recursos humanos, indispensável ao sucesso dos negócios e à qualidade de vida das pessoas que trabalham.

Parte I

Aspectos Teóricos Sobre Gestão do Clima Organizacional

AS GRANDES MUDANÇAS QUE ESTÃO AFETANDO OS AMBIENTES DE TRABALHO

Com a abertura da economia brasileira no início dos anos 90 e com a posterior entrada de produtos e organizações estrangeiras no Brasil, as empresas brasileiras, para sobreviver ao aumento de competição, tiveram de adotar uma série de estratégias. Entre elas, podemos destacar:

- o intenso uso da automação;
- a drástica redução dos quadros de pessoal;
- a terceirização;
- a reengenharia;
- o *downsizing;*
- a privatização;
- as fusões;
- as aquisições;
- as alianças estratégicas.

Todas essas estratégias têm levado as empresas à redução do quadro de pessoal. A tendência é que os trabalhadores permaneçam cada vez menos tempo em cada empresa. Esse quadro predominante de demissões tem gerado uma reação por parte dos trabalhadores. Eles tendem a modificar suas atitudes em relação às empresas. Muitos acabam agindo com indiferença, não mais "vestindo" a camisa, como faziam antigamente.

As empresas, de modo geral, vêm buscando automatizar seus processos industriais e de serviços, visando a aumentar a produtividade, reduzir os custos, aumentar a eficiência. Nesse sentido, o trabalho humano acaba sendo substituído pelo trabalho da máquina, tendo como conseqüência as demissões.

A terceirização é uma estratégia que veio para ficar. As empresas estão se concentrando em suas atividades principais e transferindo para terceiros suas atividades acidentais. Por diversos motivos, as empresas investem nessa estratégia: para reduzir custos, para melhorar a eficiência ou a qualidade, para concentrar-se no seu *core business*. Ao terceirizar suas atividades acidentais, ou seja, aquelas que não correspondem à sua atividade principal, as empresas transferem a execução ou o gerenciamento dessas atividades para empresas que são especializadas no assunto. Com isso, esses terceiros acabam fazendo o serviço com menos funcionários. Resultado: mais pessoas sem emprego.

A reengenharia também ceifou milhares de empregos. As empresas em vez de seguir o receituário de Michael Hammer e James Champy, autores dessa estratégia, acabaram reduzindo seus quadros, sob a alegação de que estavam praticando a reengenharia.

Para se tornarem mais ágeis, menos onerosas, muitas empresas adotaram o *downsizing*. Trata-se da redução de alguns níveis hierárquicos. Muitas tinham uma estrutura organizacional pesada, com vários níveis decisórios: presidente; vice-presidente; diretor; diretor-adjunto; gerente de 1ª linha; gerente de 2ª linha etc. Ao aplicar o *downsizing*, elas eliminaram alguns desses níveis. Resultado: demissões.

Muitas empresas foram privatizadas. Ao serem privatizadas, tiveram seus quadros de pessoal reduzidos. Da noite para o dia, vários funcionários viram seus sonhos da estabilidade de emprego desaparecer. Despreparadas para enfrentar uma acirrada competição pela busca de uma nova posição no mercado, algumas pessoas chegaram ao suicídio.

Toda vez que uma empresa é comprada, ou quando se funde com uma outra, instala-se um clima de insegurança entre os funcionários. Geralmente, as conseqüências dessas operações são a demissão de muitos trabalhadores e um profundo impacto na cultura da organização, pela imposição dos valores e das crenças da empresa dominante. O quadro a seguir apresenta a evolução dessa estratégia no Brasil, nos últimos anos.

Em artigo escrito na *Folha de S. Paulo*, em 3/10/99, Chico Santos informou: "Na última metade dos anos 90, o número de aquisições de empresas brasileiras por empresas estrangeiras cresceu 196,25%. Segundo a PriceWater-

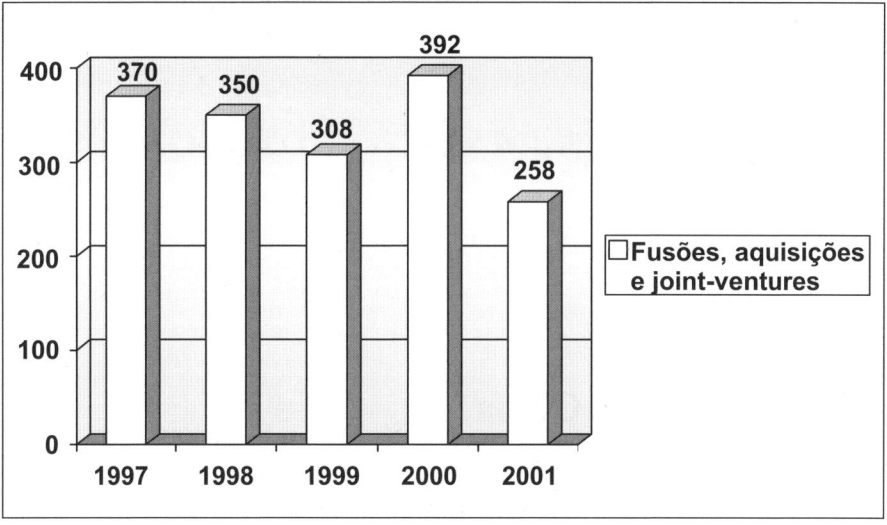

Evolução das Fusões, Aquisições e *Joint-Ventures* no Brasil:

Ano	Fusões, aquisições e joint-ventures
1997	370
1998	350
1999	308
2000	392
2001	258

Fonte: Ernst & Young

house & Coopers, 772 empresas brasileiras, sem incluir incorporações, acordos e associações, foram adquiridas pelo capital estrangeiro."

As recentes ondas de privatizações, fusões, aquisições, alianças estratégicas e outras formas de associação vêm misturando culturas algumas vezes até com valores e crenças conflitantes. O resultado dessas estratégias corporativas reflete-se no nível de satisfação das pessoas no ambiente de trabalho.

Como se vê, essas estratégias ceifaram milhares de empregos e contribuíram para mudar o comportamento dos trabalhadores. Observamos uma enorme insegurança, uma desconfiança quanto à segurança no emprego. Conseqüentemente, o clima das empresas foi impactado por essas mudanças, tornando-se uma preocupação a mais para os empresários, gestores e, especialmente, para a área de recursos humanos, que tem entre seus compromissos assegurar um clima propício à realização dos objetivos das organizações e das pessoas que nelas trabalham.

O QUE É O CLIMA ORGANIZACIONAL?

❑ Conceitos de Clima

1. "Pode-se definir clima organizacional como sendo as impressões gerais ou percepções dos empregados em relação ao seu ambiente de trabalho; embora nem todos os indivíduos tenham a mesma opinião, pois não têm a mesma percepção, o clima organizacional reflete o comportamento organizacional, isto é, atributos específicos de uma organização, seus valores ou atitudes que afetam a maneira pela qual as pessoas ou grupos se relacionam no ambiente de trabalho."

   D. J. Champion.

2. "Clima organizacional é a qualidade ou propriedade do ambiente organizacional, que é percebida ou experimentada pelos membros da organização e influencia o seu comportamento."

   George H. Litwin, professor e consultor norte-americano.

3. "Clima organizacional é o conjunto de valores, atitudes e padrões de comportamento, formais e informais, existente em uma organização. Clima organizacional é um conceito que se confunde com o de cultura da organização."

   Flávio de Toledo e B. Milioni, consultores.

4. "Clima organizacional é a atmosfera resultante das percepções que os funcionários têm dos diferentes aspectos que influenciam seu bem-estar e sua satisfação no dia-a-dia de trabalho."

   Luiz Cesar Barçante e Guilherme Caldas de Castro, autores do livro Ouvindo a Voz do Cliente Interno.

5. "O clima organizacional é um fenômeno resultante da interação dos elementos da cultura. O clima é mais perceptível do que suas fontes causais, comparando-se a um "perfume", pois percebe-se o seu efeito sem conhecer os ingredientes, embora às vezes seja possível identificar alguns deles."

   Edela Lanzer P. de Souza, autora do livro Clima e Cultura Organizacionais.

6. "Clima e cultura são tópicos complementares. Clima refere-se aos modos pelos quais as organizações indicam aos seus participantes o que é considerado importante para a eficácia organizacional."

   Benjamim Schneider, consultor norte-americano.

7. "Definimos clima organizacional em termos de como as pessoas percebem a companhia, como as decisões são tomadas e com que eficácia as atividades são coordenadas e, então, comunicadas."

   Delmar Dutch Landen, psicólogo da GM dos EUA.

8. "O clima é o indicador do grau de satisfação dos membros de uma empresa, em relação a diferentes aspectos da cultura ou realidade aparente da organização, tais como políticas de RH, modelo de gestão, missão da empresa, processo de comunicação, valorização profissional e identificação com a empresa."

   Roberto Coda, professor da FEA USP.

9. "Os trabalhos envolvendo o clima organizacional destinam-se a identificar quais são os fatores que afetam negativa ou positivamente a motivação das pessoas que integram a empresa."

   Almiro dos Reis Neto, diretor da Mc Ber, divisão da Hay Brasil.

10. "Clima organizacional é mais ou menos assim: não se sabe exatamente onde encontrá-lo; por instantes temos a sensação de tê-lo achado, mas depois nos decepcionamos. O clima jamais é algo bem nítido, mas sempre uma espécie de fantasma: difuso, incorpóreo...Fica por aí, no dia-a-dia da empresa, metido numa confusa trama de ações, reações, sentimentos, que nunca se definem, jamais se explicitam."

    Marco A. Oliveira, autor do livro Pesquisas de Clima Interno nas Empresas.

11. "Nada é menos tangível, nem mais importante, na vida organizacional e nas transações interpessoais do que o clima psicológico. Sua existência é tão real e tão sujeita a alterações quanto o é a do clima físico, embora os componentes que perfazem o clima psicológico, ainda que igualmente identificáveis, não sejam tão concretos."

Charles K. Ferguson, professor da Universidade da Califórnia.

12. "O clima é dado por vários conjuntos de descrições, feitas pelas pessoas e correspondendo à interpretação que elas fazem do contexto da empresa, baseadas em suas percepções sobre esse contexto."

Steven W. J. Kozlowski e Brian M. Hultz, professores da Michigan State University.

13. "Clima significa um conjunto de valores ou atitudes que afetam a maneira pela qual as pessoas se relacionam umas com as outras, tais como: sinceridade, padrões de autoridade, relações sociais etc."

Warren G. Bennis, consultor americano.

14. "O clima ou cultura do sistema, reflete tanto as normas e valores do sistema formal como sua reinterpretação no sistema informal. O clima organizacional também reflete a história das porfias internas e externas, do tipo de pessoas que a organização atrai, de seus processos de trabalho e de sua distribuição física, das modalidades de comunicação e do exercício da autoridade dentro do sistema."

Daniel Katz e Robert L. Kahn, psicólogos e professores da Universidade de Michigan.

15. "Clima organizacional constitui o meio interno de uma organização, a atmosfera psicológica e característica que existe em cada organização. O clima organizacional é o ambiente humano dentro do qual as pessoas de uma organização fazem o seu trabalho.Constitui a qualidade ou propriedade do ambiente organizacional que é percebida ou experimentada pelos participantes da empresa e que influencia o seu comportamento."

Idalberto Chiavenato.

16. "Clima organizacional é o reflexo do estado de ânimo ou do grau de satisfação dos funcionários de uma empresa, num dado momento."

Ricardo Silveira Luz.

17. "Clima organizacional é a atmosfera psicológica que envolve, num dado momento, a relação entre a empresa e seus funcionários."

Ricardo Silveira Luz.

❏ A Transversalidade dos Conceitos de Clima

Nos conceitos dos diferentes autores, sobre clima organizacional, podemos encontrar pelo menos três palavras-chave, que estão quase sempre presentes:

Satisfação (dos Funcionários) – Esta é a palavra mais presente nos conceitos dos diferentes autores. Direta ou indiretamente, os conceitos nos remetem à relação do clima com o grau de satisfação das pessoas que trabalham em uma organização.

Percepção (dos Funcionários) – Outra importante palavra contida nos conceitos de clima refere-se à percepção que os funcionários têm sobre os diferentes aspectos da empresa que possam influenciá-los, positiva ou negativamente. Portanto, se os funcionários percebem a empresa positivamente, o clima dessa empresa tende a ser bom; ao contrário, se eles percebem mal a empresa, o clima tende a ser ruim.

Cultura (Organizacional) – Alguns autores tratam clima e cultura como sendo coisas parecidas, fazendo sempre menção à cultura quando se referem ao clima. Isso porque a cultura influencia, sobremaneira, o clima de uma empresa. São faces de uma mesma moeda, são questões complementares.

CULTURA ORGANIZACIONAL

Sempre tive uma enorme resistência para tratar do tema cultura organizacional, por não me sentir à vontade para abordá-lo, talvez por insegurança. Todavia não dá para falar de clima organizacional sem traçar paralelos com a cultura organizacional. Ao me render à discussão superficial do tema, faço-o com o propósito de esclarecer a relação que "sinto" existir entre cultura e clima. São conceitos que se complementam. Por isso, devemos explorar um pouco esse tema, para entender sua influência sobre o clima das empresas.

A cultura organizacional influencia o comportamento de todos os indivíduos e grupos dentro da organização. Ela impacta o cotidiano da organização: suas decisões, as atribuições de seus funcionários, as formas de recompensas e punições, as formas de relacionamento com seus parceiros comerciais, seu mobiliário, o estilo de liderança adotado, o processo de comunicação, a forma como seus funcionários se vestem e se portam no ambiente de trabalho, seu padrão arquitetônico, sua propaganda, e assim por diante.

Nesse sentido, a cultura de uma empresa acaba reforçando o comportamento de seus membros, determinando o que deve ser seguido e repudiando o que deve ser evitado. Portanto, além de um significado simbólico, de representações, ela também exerce um sentido político e de controle.

A cultura organizacional é constituída de aspectos, que dão às organizações um modo particular de ser. Ela está para a organização, assim como a personalidade está para o indivíduo. Ela representa o conjunto de crenças, valores, estilos de trabalho e relacionamentos, que distingue uma organização das outras. A cultura molda a identidade de uma organização, assim como a identidade e o reconhecimento dos próprios funcionários.

Não podemos deixar de considerar que a cultura das empresas decorre também de valores culturais da sociedade na qual está inserida. Não podemos dissociar a cultura das empresas da cultura nacional, como se as empresas fossem entidades isoladas, confinadas de um mundo exterior.

❑ Conceitos

1. "A cultura de uma organização pode ser entendida como um conjunto de valores, de normas e princípios, já sedimentados na vida organizacional, conjunto este que interage com a estrutura e os comportamentos, criando uma maneira peculiar e duradoura de como se procede naquela organização, baseado em certos fundamentos e almejando a consecução de determinados resultados finais".

    Paulo C. Moura.

2. "A cultura é um sistema de crenças (como as coisas funcionam) e valores (o que é importante) compartilhados (vivenciado por todos) e que interagem com (penetração nos sistemas e subsistemas) as pessoas, as estruturas e mecanismos de controle para produzir (efeitos) as normas de comportamento características daquela organização (como fazemos as coisas por aqui)."

    Paulo C. Moura.

3. "Entendemos a cultura organizacional como um conjunto de representações imaginárias sociais, construídas e reconstruídas nas relações cotidianas dentro da organização, que são expressas em termos de valores, normas, significados e interpretações, visando a um sentido de direção e unidade, e colocando a organização como a fonte de identidade e de reconhecimento para seus membros."

    Maria Ester de Freitas, em Cultura Organizacional,
    o doce controle no clube dos raros.

4. "Cultura organizacional é o conjunto de pressupostos básicos que um grupo inventou, descobriu ou desenvolveu ao aprender como lidar com os problemas de adaptação externa e integração interna e que funcionaram bem o suficiente para serem considerados válidos e ensinados a novos membros como a forma correta de perceber, pensar e sentir em relação a esses problemas."

    Edgar H. Schein, Organizational Culture and Leadership.

Podemos depreender que cultura organizacional é o conjunto de crenças, valores, costumes, rituais, slogans, mitos, tabus, tradições, sentimentos e comportamentos compartilhados pelos membros de uma organização.

De uma forma muito simples, podemos entender cultura organizacional como o conjunto de atributos físicos e psicossociais de uma organização que caracteriza o seu modo de ser e determina a sua identidade.

Como nos ensina Robert Henry Srour, em seu livro *Poder, Cultura e Ética nas Organizações*, a cultura organizacional pode ser aprendida, transmitida e partilhada. Segundo ele, os agentes sociais adquirem os códigos coletivos e os internalizam, tornam-se produtos do meio sociocultural em que crescem, conformam-se aos padrões culturais, e, com isso, submetem-se a um processo de integração ou de adaptação social. Assim, continua o autor, tudo aquilo que lhes foi inculcado é reconhecido como natural e normal. A partir daí, quaisquer outras maneiras de ser lhes parecem estranhas e até inaceitáveis.

❑ Considerações Sobre os Conceitos

Valores – Representam a importância que as organizações dão a determinadas coisas, como, por exemplo, certos comportamentos ou posicionamentos: ética; trabalho em equipe; justiça; transparência; inovação etc.

Os valores balizam e demonstram claramente quais as prioridades que uma empresa procura seguir no cumprimento de seus objetivos.

Pena que nem sempre os valores declarados correspondem aos valores praticados pela empresa. Muitas das vezes, a empresa declara aquilo que ela gostaria de ter. Todavia nem sempre esses valores estão difundidos, internalizados, na conduta de seus funcionários. Um bom exemplo disso é o caso da ENRON, a grandiosa empresa americana da área de energia. Na declaração de seus valores encontrávamos: Integridade, Respeito, Comunicação, Excelência. O recente escândalo no qual se envolveu, revelou uma contradição entre o declarado e o praticado.

Ritos/Rituais – São certas cerimônias típicas de uma organização. Exemplo: nas admissões. É muito comum, nas grandes organizações, quando se admite algum novo funcionário, proporcionar-lhe uma ambientação, em que são apresentados a história, os produtos, os processos, os clientes, os mercados atendidos etc. Esse aparato precipita a integração do novo membro e reduz a insegurança diante daquilo que lhe é novo.

As empresas possuem também rituais para as promoções e demissões de seus funcionários. Há, ainda, os ritos usados em inaugurações e em comemorações.

Mitos – São figuras imaginárias, alegorias, geralmente utilizadas para reforçar certas crenças organizacionais.

Entre empresas que se destacam em um determinado ramo de atividade, existe o mito de elas se julgarem melhores que seus concorrentes. É comum a alegação da existência de certos diferenciais competitivos, que na verdade são também alegados como diferenciais competitivos pelos concorrentes. É um mito que serve para simbolizar e reforçar entre os membros da organização uma pseudo-superioridade.

Tabus – Geralmente focalizam questões proibidas ou não bem-vistas pela organização. Um exemplo é a "proibição" de se discutir com os superiores hierárquicos questões salariais. Presume-se algo inaceitável.

É também comum, em empresas familiares, não poder questionar a competência de algum membro da família que atue na empresa. Outro tabu comum nas organizações é o fato de não poder falar mal de algum funcionário "protegido".

❏ Figuras da Cultura

Marco Antonio Oliveira, em seu livro *Cultura Organizacional*, apresenta algumas figuras encontradas nas culturas das organizações:

Cânones – Cânones são preceitos eclesiásticos. No estudo da cultura organizacional, encontramos nos ambientes organizacionais os seguintes exemplos de cânones: a declaração da Missão da empresa; a declaração da Visão e dos Valores; os Regulamentos. A leitura atenta desses elementos nos permite conhecer um pouco mais sobre a cultura da empresa.

Herói – Figura passada, suficientemente heróica, que inspira a organização e é freqüentemente citada pelos funcionários como um exemplo. Exemplos: o fundador da empresa (líder tribal); um dirigente marcante; um excepcional gerente de outras épocas etc. O Herói é um personagem permanentemente reverenciado na organização.

Valores e Crenças – Quais são? Como interferem ou determinam aquilo que as pessoas sentem e o modo como agem?

Etiqueta – O que é de "bom-tom". O que é correto ou incorreto fazer. Exemplos: tratar de doutor alguns superiores; não falar palavrões; cumprir determinados "gêneros da organização" (educado; informal; esnobe; grosseiro; refinado; austero etc.).

FIGURAS FOLCLÓRICAS:

a) ARAUTOS: Aqueles que sempre sabem das novidades antes dos outros.
b) CABALAS: Grupos de conchavos ou "panelinhas".
c) ESPIÕES: Pessoas que levam informações aos que decidem.
d) MESTRES: Aqueles que sabem tudo sobre a empresa, seu mercado, sua tecnologia, seus clientes etc. São os "salvadores da pátria".
e) EMINÊNCIAS PARDAS: Aqueles que detêm um certo poder não-formalizado.

❑ Formas de Manifestação da Cultura Organizacional

Embora cultura organizacional seja um tema intangível, ela se expressa, se tangibiliza e se materializa através dos fatores relacionados a seguir: Código de Ética, Carta de Princípios, Filosofia, Declaração da Missão, Declaração da Visão e dos Valores da empresa, através de seus *Slogans*, através de suas Figuras Folclóricas e, finalmente, através do comportamento da organização e das pessoas que nela trabalham.

Nas organizações a cultura se manifesta de diferentes modos. Através do comportamento dos funcionários: seus trajes, o corte dos cabelos, as formas como as pessoas são tratadas, os assuntos preferencialmente discutidos, entre outros.

Algumas empresas se caracterizam pelo vestuário de seus funcionários, pela forma como eles se apresentam.

Alguns Slogans usados pela empresas também revelam seus traços, suas crenças, seus valores, seu modo de pensar e de agir.

❑ Fatores que Influenciam a Cultura Organizacional

• **Seus fundadores**

Esses líderes deixam marcas na história de uma organização. São figuras singulares para a cultura de uma empresa, impregnando-a com suas crenças, seus valores, seus estilos etc.

- **Seu ramo de atividade**

As empresas têm um perfil que as caracterizam. Esse perfil sofre também influências do ramo no qual as empresas atuam. Alguns ramos de atividade, em função do tipo de produto ou serviço que produzem, ou do tipo de mercado em que operam, são mais sofisticados, mais exigentes, do que outros. Isso acaba impactando na tecnologia, na estrutura, no grau de sofisticação dos processos de trabalho e também na própria qualidade de seus recursos humanos. Conseqüentemente, a cultura também é influenciada.

- **Dirigentes atuais**

Os dirigentes atuais também podem gerar forte influência sobre a cultura de uma empresa. Em algumas empresas, o ingresso de apenas um influente executivo pode modificar radicalmente a cultura. Tudo depende do grau de poder e da personalidade desse novo executivo.

- **A área geográfica na qual a empresa atua**

A localização de uma empresa também pode exercer forte influência sobre a sua cultura. Uma empresa localizada no interior pode ser muito diferente de uma empresa instalada em uma cidade, enquanto que esta pode também ser muito diferente de uma outra instalada em uma capital. Por sua vez, esta última também pode ser diferente de uma empresa instalada em uma grande capital. A escolaridade, o padrão cultural e o nível socioeconômico de uma determinada população vão imprimir valores, crenças e outros ingredientes aos seus membros. Logo, isso se refletirá na cultura das empresas.

RELAÇÕES ENTRE CLIMA E CULTURA ORGANIZACIONAIS

Apesar do clima ser afetado por fatores externos à organização, como, por exemplo, pelas condições de saúde, habitação, lazer e familiar de seus funcionários, assim como pelas próprias condições sociais, a cultura organizacional é uma das suas principais causas.

Logo, entre clima e cultura, há uma relação de causalidade. Podemos afirmar que cultura é causa e clima é conseqüência.

Outra conclusão a que podemos chegar é que clima e cultura são fenômenos intangíveis, apesar de manifestarem-se também de forma concreta.

Apesar de ser intangível, a cultura se manifesta através da arquitetura, das edificações, do modo de vestir e de se comportar do corpo de funcionários. A cultura tangibiliza-se também através do relacionamento da empresa com os seus parceiros comerciais.

Uma empresa essencialmente conservadora manifestará esse valor nas suas propagandas e na forma como ela lida com os avanços tecnológicos. Por outro lado, uma empresa inovadora, arrojada, demonstrará seus valores culturais através dos seus produtos, processos, tecnologia etc.

A cultura se manifesta através dos rituais de uma empresa, de seus códigos, símbolos que caracterizam o seu dia-a-dia. Essa identidade vai impactando positiva ou negativamente o estado de ânimo das pessoas que nela trabalham.

Algumas empresas são rígidas em seus aspectos disciplinares. Algumas são extremamente formais nas suas relações de trabalho, enquanto que outras são demasiadamente informais. Umas são conservadoras, outras inovadoras. Umas são ágeis, outras lentas. Umas são modernas, outras retrógradas. Como se vê, cada empresa tem o seu jeito de ser, o que a torna um lugar especial, ou extremamente difícil para se trabalhar.

Através dos conceitos de clima, expressos por alguns autores, podemos inferir que clima e cultura são fenômenos complementares.

Outra relação entre clima e cultura é que clima é um fenômeno temporal. Refere-se ao estado de ânimo dos funcionários de uma organização, num dado momento. Já a cultura decorre de práticas recorrentes, estabelecidas ao longo do tempo.

POR QUE A ADMINISTRAÇÃO DE RH DEVE AVALIAR O CLIMA ORGANIZACIONAL?

1º) Porque é uma de suas principais obrigações, de seus principais compromissos. Faz parte da sua missão.

As empresas devem ouvir seus funcionários através da área de RH porque faz parte de sua missão proporcionar-lhes um bom clima organizacional. O compromisso de tornar a mão-de-obra satisfeita ou "motivada" está contido tanto na literatura técnica quanto no cotidiano da Administração de Recursos Humanos – ARH. Logo, se "motivar" ou ao menos tornar satisfeitos os funcionários é parte da missão da ARH, então ela tem o dever de diagnosticar, periodicamente, o clima organizacional, com o objetivo de saber se está cumprindo sua missão.

A seguir apresentaremos algumas definições sobre a ARH, em que se vê consubstanciado o compromisso com a satisfação ou "motivação" dos funcionários:

"A Administração de Recursos Humanos pode ser definida como ramo da administração responsável pela coordenação de interesses da mão-de-obra e dos donos do capital, e visa a proporcionar à empresa um quadro de pessoal **motivado**, integrado e produtivo, estimulado para contribuir para o alcance dos objetivos organizacionais."

Cleber Pinheiro de Aquino. Administração de Recursos Humanos: Uma Introdução. Atlas.

"Os objetivos da Administração de Recursos Humanos são: ...criar, manter, desenvolver um contingente de recursos humanos, com habilidade e **motivação** para realizar os objetivos da organização; ..."

Idalberto Chiavenato – Administração de Recursos Humanos. Atlas.

"Os objetivos de Recursos Humanos referem-se à própria razão de ser das políticas e programas de Recursos Humanos, resumida como ação orientada para garantir à empresa recursos humanos disponíveis, adequados e **motivados** para suas operações presentes e futuras."

Flávio de Toledo e B. Milioni – Dicionário de Administração de Recursos Humanos. Expressão e Cultura.

"Administração de Pessoal é a prática que visa ao pleno aproveitamento dos recursos humanos de uma organização, dispondo-os para que ofereçam um maior rendimento organizacional, expresso em termos de eficiência e produtividade, com o melhor nível de realização individual, expresso em termos de **satisfação pessoal** e geral."

Hoder.

"Administração de Pessoal procura conciliar os interesses complementares da empresa (eficiência, produtividade, lucro, continuidade do negócio) com os interesses individuais (realização pessoal, possibilidade de desenvolvimento, participação, aceitação, **bem-estar** pessoal)."

Monteiro Lopes.

"Atualmente, a grande preocupação de gerentes e supervisores reside no diagnóstico adequado das reais **motivações** daqueles com quem trabalham."

Cecília Whitaker Bergamini – Avaliação de Desempenho Humano na Empresa.

"Em termos amplos, poderíamos dizer que as grandes e principais áreas de eficácia de um departamento de recursos humanos são: suprimento de vagas, capacitação do pessoal, consistência salarial interna e externa, melhoria das condições de trabalho, melhoria das relações trabalhistas, **obtenção de clima organizacional saudável** e contribuição ao desenvolvimento organizacional da empresa."

Ênio J. Resende – É Preciso Mudar o Discurso em Recursos Humanos. Summus Editorial.

2º) Porque constitui uma oportunidade de realizar melhorias contínuas no ambiente de trabalho e nos resultados dos negócios.

3º) Porque os clientes internos são a razão de ser de cada pessoa ou de cada setor de uma empresa. Logo, a empresa deve mantê-los satisfeitos.

4º) Porque o desempenho dos recursos humanos afeta o desempenho organizacional e porque o desempenho dos recursos humanos é afetado pela sua motivação, conforme demonstrado a seguir:

DESEMPENHO = COMPETÊNCIA X MOTIVAÇÃO

O desempenho de cada trabalhador é conseqüência da sua competência, ou seja, da sua capacitação para o trabalho que realiza, assim como da motivação que possui para realizar um trabalho.

5º) Porque a recessão, o intenso uso da automação, o aumento da concorrência, assim como as novas estratégias de gestão, como a terceirização, a reengenharia, o *downsizing*, a privatização, a fusão, a aquisição e as alianças estratégicas vêm ceifando milhares de empregos, modificando a atitude dos trabalhadores em relação às suas empresas.

6º) Porque as recentes ondas de privatizações, fusões, aquisições, alianças estratégicas e outras formas de associação vêm misturando culturas empresariais, com valores e crenças muitas vezes conflitantes, o que tem contribuído para a degradação do clima organizacional.

A QUEM COMPETE AVALIAR O CLIMA ORGANIZACIONAL?

Há duas formas de avaliação do clima, e há dois níveis de responsabilidade na sua avaliação:

1ª) Avaliação Setorial

Ouvir individualmente os membros de sua equipe de trabalho é responsabilidade de cada gestor. Ele tem a responsabilidade de manter seus subordinados satisfeitos, motivados, porque, como já foi dito, o desempenho de cada funcionário depende da sua capacitação e motivação para o trabalho.

A responsabilidade de avaliar o clima em cada unidade é de todo aquele investido das funções de chefia, pois se chefiar é obter resultados através de outras pessoas, então é necessário que se procure conhecer o ambiente de trabalho, o grau de confiança, a harmonia e a cooperação existentes entre os membros de sua equipe.

A avaliação do clima compete aos gestores, independente do seu cargo ou nível hierárquico. Encarregados, supervisores, coordenadores, gerentes, diretores, todos têm o compromisso de monitorar o clima da sua unidade e intervir sempre que necessário.

2ª) Avaliação Corporativa ou Institucional

Avaliar o clima da organização é responsabilidade do RH. Compete a ele ouvir coletivamente os funcionários, já que sua missão é assegurar que a empresa tenha um bom ambiente de trabalho e que os funcionários se sintam satisfeitos e realizados neste.

Dessa forma, a responsabilidade pelo diagnóstico, monitoramento e intervenções nas causas que impactam negativamente o ambiente de trabalho cabe à área de recursos humanos.

Dentro da estrutura do RH qual setor deve assumir essa responsabilidade?

Em alguns organogramas da área de RH já encontramos um órgão responsável pela Ambiência Organizacional, cabendo a ele essa responsabilidade.

Todavia essa tarefa pode não ficar restrita a um dos setores de RH, podendo ser compartilhada por profissionais de diferentes setores.

Particularmente, me atrai a idéia de delegar esse trabalho ao Serviço Social, quando ele existe na estrutura do RH. Os profissionais do serviço Social têm uma formação adequada para conduzir esse projeto. Contudo cabe ao executivo do RH avaliar a quem atribuir essa importante missão.

Na minha experiência profissional, sempre gostei de trabalhar com assistentes sociais, e sempre procurei atribuir-lhes as seguintes responsabilidades:

1º) Avaliar o clima organizacional: informal e formalmente.

2º) Integrar os recursos humanos. Essa também é uma função importante para o clima, à medida que contribui para minimizar algumas antipatias, muitas vezes gratuitas, existentes nas relações de trabalho.

3º) Orientar, assistir e aconselhar os funcionários.

4º) Aprimorar a realidade social dos funcionários.

Aproveitando o intenso contato que o Serviço Social mantém com os empregados, especialmente, com os de nível operacional, realizando assim a avaliação informal do clima, deve também ficar responsável pela avaliação formal do clima. Nesse sentido, se esses profissionais reunirem competência e credibilidade, devem conduzir o projeto de avaliação corporativa do clima.

Cabe aqui ressaltar que a avaliação institucional do clima compete ao RH. Contudo ele pode ser auxiliado por uma consultoria externa. A grande vantagem da consultoria é a sua isenção, que elimina qualquer suspeita por parte dos empregados sobre eventual manipulação. Outra vantagem refere-se ao conhecimento especializado no assunto. Nem sempre o executivo de RH tem experiência na condução desse tipo de pesquisa. Um outro ponto a favor da parceria com uma consultoria externa é que ela possui informações sobre o resultado de pesquisas aplicadas em outras empresas (*benchmarking*). Considerando que as estruturas das empresas estão ficando cada vez mais enxutas e as pessoas cada vez mais assoberbadas, outra vantagem que podemos destacar é que a consultoria alivia o RH de mais um projeto, entre tantos que ele tem para realizar.

Assim, a parceria entre RH e uma consultoria especializada pode tornar a pesquisa mais bem idealizada e conduzida (isenção), mais abrangente e com maior credibilidade. Porém, a decisão quanto ao uso de uma consultoria externa deve ficar por conta de cada empresa, que deve avaliar suas necessidades e peculiaridades: porte, complexidade do ambiente e do negócio, estrutura da área de recursos humanos, rapidez na apresentação do resultado, disponibilidade financeira, experiência da equipe de RH com esse tipo de projeto, entre outros.

O CLIMA ORGANIZACIONAL E SEU IMPACTO SOBRE A QUALIDADE DOS SERVIÇOS

Por que em tantas organizações os serviços são prestados de forma tão deficiente? Por que as pessoas o fazem com um desempenho tão medíocre, muito aquém do esperado? Por que são tão freqüentes as reclamações dos clientes externos quanto à qualidade dos atendimentos? Quantos clientes as empresas perdem por não estarem atentas ao seu clima?

Somos inclinados a pensar que o problema está na falta de treinamento ou em seleções de pessoal malfeitas. Porém, de nada adianta as empresas saírem por aí substituindo as pessoas, como se só elas fossem as culpadas. As empresas culpam os funcionários e esquecem de considerar o contexto no qual eles estão inseridos. É preciso ir mais fundo para compreender o que está por trás da qualidade dos atendimentos. Pesquisando o seu clima, as empresas vão encontrar as respostas que precisam, certamente farão um *mea-culpa* e poderão melhorar a qualidade dos seus serviços.

Para o funcionário prestar um bom serviço, é preciso que saiba, que possa e que queira fazê-lo. **Saber fazer** é uma questão de conhecimentos, habilidades ou atitudes. Logo, uma questão de treinamento. **Poder fazer** é uma questão de ter e poder usar os recursos necessários. **Querer fazer** é uma questão volitiva que depende do estado de espírito, do ânimo, da satisfação das pessoas quando realizam o seu trabalho. Logo, o **"querer fazer"** está associado ao clima organizacional, que muitas vezes é onde encontramos as causas da má qualidade dos serviços.

A performance de um profissional não depende só de ele **saber fazer** aquilo que tem de fazer. Ou seja, não depende somente de ele estar treinado, capacitado para o que faz. Da mesma forma, sua performance não depende só de ele **poder fazer**, ou seja, de possuir os recursos necessários para realizar um bom trabalho. Para que ele tenha uma boa performance, é essencial **querer fazer** um bom trabalho. Muitas das vezes, o trabalho não é bem realizado porque quem o faz não está a fim de fazê-lo ou não quer fazê-lo melhor, ainda que saiba e possa.

Portanto:

Saber fazer é uma questão de conhecimentos, habilidades ou atitudes.

Poder fazer é uma questão de dispor e poder usar os recursos necessários.

Querer fazer é uma questão volitiva que depende da satisfação das pessoas.

Logo, como obter "disposição para servir" de alguém que está de mal com a vida?

Como esperar respeito ao cliente externo se o funcionário não se sente respeitado no seu trabalho?

Muitas empresas criam canais de comunicação com seus clientes externos (SAC), mas se esquecem de fazer o mesmo com relação aos seus clientes internos. Elas esquecem que a satisfação dos seus clientes externos passa antes pela satisfação dos clientes internos.

As empresas investem pesado na melhoria dos seus produtos, mas não são tão cuidadosas com relação aos seus serviços, tanto os prestados internamente quanto os prestados diretamente aos seus consumidores finais. Investir na gestão do clima é uma estratégia que contribui para a melhoria da qualidade dos serviços.

Algumas empresas criam canais de comunicação com seus clientes externos através de ligações gratuitas para os SACs – Serviços de Atendimento aos Clientes, procurando atender às suas necessidades, ouvir suas reclamações e sugestões sobre seus produtos e/ou serviços. Porém que atenção dispensam a quem atende a esses telefonemas? Muitas vezes, são profissionais com salário baixo, mal treinados, com inúmeras necessidades pessoais e, conseqüentemente, nem sempre estão dispostos a tolerar o mau humor dos clientes.

A propósito, no momento em que o foco no cliente passa a ser tão importante, não seria oportuno rever os critérios que determinam a capacitação e o salário de um atendente do telemarketing ou de um telefonista? Afinal, além de atender os clientes internos, são eles que passam aos clientes externos, fornecedores e ao público em geral uma parcela da imagem da empresa.

Poucas são as empresas que têm interesse em ouvir seus clientes internos, em conhecer suas expectativas profissionais e pessoais, suas reclamações com relação ao salário, ao trabalho que realizam, à supervisão que recebem, à integração entre os diferentes setores da empresa, à comunicação existente na empresa, à sua estabilidade no emprego, às suas possibilidades de progresso profissional, à disciplina, aos benefícios, às suas condições de segurança e higiene, ao processo decisório etc.

Além de ouvir seus funcionários sobre o que pensam em relação a essas variáveis internas, as empresas deveriam conhecer a realidade familiar, social e econômica em que os mesmos vivem. Só assim poderão encontrar respostas que justifiquem a qualidade dos serviços por eles prestados.

A pesquisa de clima organizacional deve ser considerada como uma estratégia para identificar oportunidades de melhorias contínuas no ambiente de trabalho.

É fundamental que os funcionários compreendam que ao responder à pesquisa estarão dando o primeiro passo no processo de melhoria do ambiente de trabalho, à medida que também sejam implementados os necessários planos de ação.

Embora administrar o clima seja uma responsabilidade da Administração de Recursos Humanos, no tocante à organização, em cada setor, passa a ser responsabilidade de quem exerce o cargo de gestão, pois conhecer o grau de satisfação, as expectativas e as necessidades da equipe de trabalho constitui um importante papel, um desafio gerencial, essencial para a melhoria do ambiente de trabalho e da qualidade dos serviços prestados.

TIPOS DE CLIMA ORGANIZACIONAL

O clima pode ser bom, prejudicado ou ruim. Ele é bom quando predominam as atitudes positivas que dão ao ambiente de trabalho uma tônica favorável. Diz-se que o clima é bom quando há alegria, confiança, entusiasmo, engajamento, participação, dedicação, satisfação, motivação, comprometimento na maior parte dos funcionários.

O clima de uma empresa é bom quando os funcionários indicam seus conhecidos e parentes para trabalharem nela, quando sentem orgulho em participar dela. O baixo *turnover* e o alto tempo de permanência na empresa são bons indicadores desse tipo de clima.

O clima é prejudicado ou ruim quando algumas variáveis organizacionais afetam de forma negativa e duradoura o ânimo da maioria dos funcionários, gerando evidências de tensões, discórdias, desuniões, rivalidades, animosidades, conflitos, desinteresses pelo cumprimento das tarefas, resistência manifesta ou passiva às ordens, ruído nas comunicações, competições exacerbadas etc. A intensidade com que essas situações se manifestam é que caracteriza o clima como prejudicado ou ruim. Porém ambos são desfavoráveis aos objetivos das organizações e das pessoas que nelas trabalham.

Nas empresas onde o clima é predominantemente ruim, o *turnover* costuma ser alto, e alguns funcionários chegam a omitir sua passagem profissional por elas, não as citando em seus currículos, com receio de ficarem "queimados" no mercado de trabalho. Esse é um típico sentimento de vergonha e desaprovação dos funcionários por uma empresa.

Algumas expressões são utilizadas para a denominação do clima, como, por exemplo: clima realizador, clima de harmonia, clima construtivo, clima sadio, clima tenso, clima de confiança etc. Não obstante, mais importante do que a denominação que possamos empregar é a idéia que devemos ter sobre o tipo de clima das empresas. Em síntese, se ele é favorável, desfavorável ou neutro em relação às organizações e às pessoas.

COMO SE MANIFESTA O CLIMA ORGANIZACIONAL

Embora o clima organizacional seja algo abstrato, ele se materializa, se tangibiliza nas organizações através de alguns indicadores que dão "sinais" sobre a sua qualidade.

No dia-a-dia das organizações podemos encontrar "sinais" de que o clima vai bem ou mal. Esses indicadores não nos fornecem elementos capazes de descobrirmos as causas que mais estão afetando positiva ou negativamente o clima de uma empresa. Todavia servem para alertar quando algo não está bem, ou ao contrário, quando o clima está muito bom.

❑ Indicadores do Clima Organizacional

Turnover

O *turnover* ou a rotatividade de pessoal pode representar uma "pista" de que algo vai mal. Quando elevado, pode significar que as pessoas não têm comprometimento com a empresa. Que falta algo na empresa para satisfazê-las.

Absenteísmo

Da mesma forma, o excessivo número de faltas e atrasos pode ter o mesmo significado que o apresentado sobre o *turnover*.

Pichações nos Banheiros

Os banheiros das empresas representam um importante indicador do clima organizacional. As críticas, as agressões direcionadas aos líderes da empresa indicam o estado de satisfação dos funcionários.

As portas e paredes dos banheiros representam um "espaço" anônimo onde os funcionários sentem-se mais seguros para xingar e zombar dos seus gestores ou da forma como a empresa conduz seus negócios.

Programas de Sugestões

Programas de sugestões malsucedidos também podem revelar a falta de comprometimento dos funcionários, que reagem à empresa, não apresentando em número ou em qualidade as sugestões que ela esperava.

Avaliação de Desempenho

Outro indicador sobre o clima é o instrumento de avaliação de desempenho. Quando a empresa utiliza um procedimento formal para avaliar o desempenho de seus empregados, as informações ali encontradas, muitas vezes, vão confirmar que o baixo desempenho de determinados colaboradores decorre de seu estado de ânimo, da sua apatia em relação à empresa, ou até mesmo de problemas pessoais que estejam afetando o desempenho. Daí a importância de a empresa, através dos seus gestores, ouvir seus empregados.

Greves

Embora as greves estejam mais vinculadas ao descumprimento de obrigações legais por parte das empresas, ou a omissão dos gestores em tomar determinadas providências que atendam a determinadas reivindicações dos trabalhadores, a adesão às greves, muitas vezes, revela uma reação dos empregados ao seu descontentamento com a empresa.

Conflitos Interpessoais e Interdepartamentais

Essa é a forma mais aparente do clima de uma empresa. A intensidade dos conflitos interpessoais e entre os diferentes departamentos da empresa é que vai, muitas das vezes, determinar um clima tenso ou agradável.

Desperdícios de Material

Muitas vezes, a forma de o trabalhador reagir contra a empresa é estragando os materiais, consumindo-os mais do que o necessário, danificando os equipamentos de trabalho. É uma forma velada de o trabalhador se rebelar contra as condições de trabalho a que está sujeito.

Queixas no Serviço Médico

Os consultórios médicos das empresas funcionam como um confessionário. Lá, os empregados descarregam suas angústias sobre os mais diferentes tipos de reclamações: sobrecarga de trabalho, humilhações, exposição a situações vexatórias, constrangimentos, discriminações. Muitos desses problemas transformam-se em distúrbios emocionais, que acabam gerando doenças e influindo negativamente na qualidade de vida dos empregados.

ESTRATÉGIAS DE AVALIAÇÃO DO CLIMA ORGANIZACIONAL

Não podemos confundir uma estratégia de avaliação de clima com um indicador de clima organizacional. A primeira é um meio utilizado pela empresa para conhecer, detalhadamente, o seu clima, enquanto que um indicador serve apenas como um indício, um sinal, um alerta sobre o clima.

Por exemplo, através de uma pesquisa de clima (estratégia), a empresa pode conhecer efetivamente o seu clima, como ele está, quais as causas que mais contribuem para esse clima, como está o clima em cada unidade de trabalho etc.

Por outro lado, a rotatividade (*turnover*) pode ser apenas um indicador do clima, uma forma de sua manifestação. Por seu intermédio, podemos deduzir se o clima vai bem ou não. Da mesma forma, os programas de sugestões podem ser também um indicador do clima, caso, por exemplo, seja baixíssimo o número de sugestões apresentadas pelos funcionários. Isso pode ser um sinal para a empresa de que algo vai mal, pois os funcionários, possivelmente, não estão comprometidos com a empresa.

Assim, podemos concluir que a estratégia permite à empresa conhecer de forma concreta o seu clima (parcial ou totalmente), já o indicador permite à empresa apenas presumir sobre ele.

1. **Contato direto dos gestores com os seus subordinados** – Uma maneira natural de avaliação do clima é através das reuniões, dos contatos mantidos entre os gestores e os membros de suas equipes de trabalho. Nesses contatos, os gestores percebem os problemas potenciais que possam afetar o clima da empresa.
2. **Entrevista de desligamento** – Essa estratégia é muito empregada e reveste-se de grande importância para o monitoramento do clima. Contu-

do ela é limitada porque está circunscrita àqueles que estão deixando as organizações, de forma voluntária ou compulsória. Essas entrevistas, embora corretivas em relação aos empregados que deixaram a empresa, possuem um caráter preventivo em relação aos que permanecem na empresa.

As informações colhidas nessas entrevistas, antes de encaminhadas às pessoas competentes, devem passar por uma triagem, pois por trás de alguns depoimentos, muitas vezes, encontramos ânimos exaltados, que contaminam a verdade dos fatos. Isso ocorre especialmente nos casos dos funcionários demitidos, que, levados pela emoção, acabam prejudicando suas informações, revelando fatos, às vezes inverídicos.

A área de recursos humanos deve agir sempre com muita cautela, ponderando e pesquisando esses fatos, com mais profundidade, notadamente quando se tratar de questões relativas às relações entre chefia e subordinado. É recomendável, na medida do possível, observar reincidências para, aí sim, serem encaminhadas as informações aos órgãos competentes, para que sejam tomadas as medidas cabíveis.

Os entrevistadores devem preservar a confidencialidade de alguns fatos levantados, para garantir credibilidade nos futuros depoimentos.

3. **Entrevistas do Serviço Social com os funcionários** – As empresas que possuem um Serviço Social contam com uma importante estratégia de acompanhamento do clima. Os assistentes sociais são especializados nesses contatos com os empregados e não só atendem às suas demandas pessoais, como também identificam vários problemas potenciais no ambiente de trabalho.

4. **Ombudsman** – Esse é um papel relativamente novo nas organizações brasileiras. Trata-se de um ouvidor, alguém com competência e credibilidade para identificar reclamações de clientes, fornecedores, comunidade e também dos próprios empregados.

5. **Programa de sugestões** – Muitas empresas adotam essa estratégia com o objetivo de colher idéias, sugestões que possam melhorar seus processos, produtos ou serviços. Com relação ao clima, os programas de sugestões constituem uma estratégia de avaliação do clima, quando abrem espaço para sugestões que também possam aprimorar as condições de trabalho.

6. **Sistema de atendimento às queixas e reclamações** – A IBM, por exemplo, criou o programa Portas Abertas. Se um funcionário tem algum problema com seu chefe, pode tentar resolvê-lo falando com o seu

superior mediato, ou seja, com o chefe do chefe dele. O funcionário pode escolher com quem quer reclamar, podendo ser até com um diretor. A pessoa escolhida fica encarregada de escutá-lo e investigar a situação.

7. **Reuniões da equipe de Relações Trabalhistas com os funcionários** – Com o recrudescimento do movimento sindical, na década de 70, algumas diretorias ou gerências de RH, especialmente das indústrias, passaram a contratar profissionais da área de relações trabalhistas. Esses profissionais têm como missão proporcionar às empresas um relacionamento harmonioso com os empregados e com os sindicatos, com os quais as empresas mantêm relacionamentos. Em última análise, esses profissionais visam a evitar os conflitos coletivos de trabalho, representados tradicionalmente pelas greves ou por outras formas veladas dos empregados se rebelarem contra as empresas: desperdiçando materiais, destruindo máquinas e equipamentos, ou reduzindo o ritmo e a eficiência do trabalho.

    Uma das estratégias adotadas pelos profissionais de Relações Trabalhistas e Sindicais é monitorar o clima organizacional, razão pela qual eles costumam reunir e ouvir, regularmente, os empregados das diferentes áreas da empresa.

8. **Linha direta com o presidente** – Canal direto e permanente mantido pelo presidente ou diretor de RH, a fim de detectar quaisquer reclamações ou sugestões que possam melhorar a qualidade do ambiente de trabalho.

9. **Café da manhã com presidente/diretores/gerentes** – Esses encontros fornecem a esses executivos uma visão de determinados problemas que ficam "escondidos" aos olhos da alta administração. Muitas vezes, a direção entende que as coisas vão bem na empresa, quando na verdade o que acontece é o contrário do que pensa.

10. **Pesquisa de clima organizacional** – De todas as estratégias para avaliação do clima, essa é a mais completa. É a que permite à empresa identificar seus pontos fracos, a satisfação de seus colaboradores com relação a vários aspectos da organização.

    A pesquisa de clima, também conhecida como Pesquisa do Clima Humano, Pesquisa de Atitudes, é um trabalho cuidadoso que busca detectar as imperfeições existentes na relação empresa x empregado, com o objetivo de corrigi-las. Ela revela o grau de satisfação dos empregados, em um determinado momento. A pesquisa aponta também a tendência de comportamento dos empregados, como, por exemplo, a sua predisposição para apoiar ou rejeitar determinados projetos a serem promovidos pelas empresas.

A pesquisa de clima identifica tanto problemas reais no campo das relações de trabalho como problemas potenciais, permitindo sua prevenção através do aprimoramento ou da adoção de determinadas políticas de pessoal.

A pesquisa representa, também, uma oportunidade para que os funcionários expressem seus pensamentos e sentimentos em relação à empresa.

TÉCNICAS DE PESQUISA DE CLIMA ORGANIZACIONAL

❏ Técnicas Usadas

1ª) Questionário

É a técnica mais utilizada nas pesquisas formais de clima.

Características:

- Permite aplicação maciça, mesmo quando a população-alvo está espalhada por uma ampla área geográfica.
- Custo relativamente baixo.
- Geralmente é mais aceito pelos respondentes, pelo fato de as empresas usarem como premissa a preservação do anonimato. Isso garante maior credibilidade a esta técnica.
- Permite o uso de questões abertas ou fechadas.
- Não utiliza um número elevado de questões: questionário longo leva à desmotivação do respondente, podendo comprometer suas respostas. Em geral, são empregadas de 40 a 80 perguntas. Com esse número de perguntas é possível cobrir, satisfatoriamente, todas as variáveis a serem pesquisadas.
- Permite a inclusão de perguntas cruzadas. Elas têm por objetivo checar a consistência de respostas a determinadas perguntas, especialmente aquelas tradicionalmente polêmicas, como as que se referem a salário.
- Exige clareza do vocabulário usado: tem de ser validada, testada antecipadamente. É recomendável que se submeta as questões do questionário à crítica de pessoas que não tenham participado da sua elaboração. É im-

portante fazer duas ou três versões do questionário, consultando pessoas da população-alvo da pesquisa.
- Questionário enviado aos respondentes ou apresentado a eles pessoalmente.
- Pode ser aplicado a todos os funcionários ou a uma amostra deles. O mais usual é aplicá-lo a todos os funcionários, embora em função das características da empresa possa ser pesquisada apenas uma parcela dos funcionários. Nesses casos, é recomendável assegurar-se da representatividade da amostra.
- Permite o sigilo, o anonimato dos respondentes. Essa é talvez a sua mais importante característica. Vale ressaltar que a única identificação feita pelas empresas é referente aos setores de trabalho dos pesquisados.
- Permite a aplicação eletrônica das perguntas.
- Não exige espaço físico (local) apropriado para a obtenção das respostas. Quando muito, necessita-se de espaço para orientar/instruir pequenos grupos sobre o preenchimento dos formulários. Algumas empresas fornecem essas orientações nos próprios locais de trabalho.

2ª) Entrevista

- Quebra o anonimato da pesquisa. Essa é uma das grandes desvantagens dessa técnica.
- Método mais demorado do que o questionário.
- Mais dispendioso do que o questionário.
- Exige pessoas tecnicamente habilitadas para conduzi-la.
- Obtém respostas verbais, como também componentes não-verbais.
- Quando o número de respondentes é elevado, requer muitos entrevistadores, o que acaba comprometendo a uniformidade/neutralidade dos entrevistadores na interpretação das respostas.

3ª) Painel de Debates

É um tipo especial de entrevista, com um entrevistador e vários entrevistados.
- Mais econômico do que a entrevista, visto que os entrevistados são submetidos em conjunto a essa técnica.
- Grupos de 5 a 8 pessoas por sessão.

- A grande vantagem dessa técnica é que ela permite que um funcionário levante uma questão, dê seu depoimento pessoal, seu ponto de vista, e isso imediatamente funciona como um convite para que os demais participantes apresentem também suas próprias visões do assunto, e concordem ou discordem do primeiro.
- Quebra o anonimato dos participantes. Essa é uma das grandes desvantagens dessa técnica.
- Exige um espaço físico adequado para se fazerem as entrevistas com os grupos de funcionários.

VARIÁVEIS ORGANIZACIONAIS

A pesquisa de clima é um método formal de se avaliar o clima de uma empresa. Ela é um instrumento importante para fornecer subsídios capazes de aprimorar continuamente o ambiente de trabalho.

A pesquisa de clima deve ser realizada anualmente ou a cada dois anos. Periodicidade superior a dois anos pode trazer surpresas para as empresas. A pesquisa geralmente é realizada através do preenchimento de questionários. Neles, os funcionários respondem a questões relacionadas a diferentes aspectos que possam causar sua insatisfação.

Geralmente, nessas pesquisas, as empresas buscam saber a opinião dos funcionários quanto às seguintes variáveis:

1. **O Trabalho Realizado pelos Funcionários:** avalia a adaptação dos funcionários com os trabalhos realizados; o volume do trabalho realizado; o horário de trabalho; se é justa a distribuição dos trabalhos entre os funcionários; se o quadro de pessoal em cada setor é suficiente para realizar os trabalhos; se o trabalho é considerado relevante e desafiador; e o equilíbrio entre o trabalho e a vida pessoal.

2. **Salário:** essa é uma das principais variáveis a serem pesquisadas, em função da sua importância sobre o grau de satisfação dos empregados. Analisa a percepção deles quanto à compatibilização dos salários da empresa com os praticados no mercado; o equilíbrio existente na empresa entre os salários dos cargos de mesma importância; a possibilidade de obtenção de aumentos salariais; a possibilidade de viver dignamente com o salário; o impacto na atração de talentos e na satisfação e fixação dos funcionários; a justiça na prática dos aumentos salariais concedidos; a clareza quanto aos critérios do plano de cargos e salários da empresa etc.

3. **Benefícios:** avalia o quanto eles atendem às necessidades e expectativas dos funcionários; a qualidade da prestação desses serviços aos funcionários; o impacto na atração, fixação e satisfação dos funcionários.
4. **Integração entre os Departamentos da Empresa:** avalia o grau de relacionamento; a existência de cooperação e conflitos entre os diferentes departamentos da empresa.
5. **Supervisão/Liderança/Estilo Gerencial/Gestão:** revela a satisfação dos funcionários com os seus gestores; a qualidade da supervisão exercida; a capacidade técnica, humana e administrativa dos gestores; o grau de *feedback* dado por eles à equipe; o tratamento justo dado à equipe.
Salário e Gestão constituem as duas mais importantes variáveis organizacionais. O gestor assume um papel fundamental sobre o clima de sua equipe de trabalho, pois ele representa a empresa e exerce várias tarefas que podem influenciar positiva ou negativamente o clima organizacional, sobretudo seu estilo de gestão.
6. **Comunicação:** avalia o grau de satisfação com o processo de divulgação dos fatos relevantes da empresa; aponta a satisfação quanto à forma e os canais de comunicação utilizados pela empresa.
7. **Treinamento/Desenvolvimento/Carreira/Progresso e Realização Profissionais:** avalia as oportunidades que os trabalhadores têm de se qualificar, de se atualizar, de se desenvolver profissionalmente.
8. **Possibilidades de Progresso Profissional:** aponta a satisfação dos trabalhadores quanto às possibilidades de promoção e crescimento na carreira, as possibilidades de realização de trabalhos desafiadores e importantes, avalia as possibilidades de os funcionários participarem de projetos que representem experiências geradoras de aumento de empregabilidade e realização profissional; avalia o uso e o aproveitamento das potencialidades dos funcionários.
9. **Relacionamento Interpessoal:** avalia a qualidade das relações pessoais entre os funcionários, entre eles e suas chefias, entre os funcionários e a empresa e a existência e intensidade de conflitos.
10. **Estabilidade no Emprego:** procura conhecer o grau de segurança que os funcionários sentem nos seus empregos, assim como o *feedback* que recebem sobre como eles estão indo no trabalho. Essa também é uma variável importantíssima para o clima de uma empresa.

11. **Processo Decisório:** avalia a opinião dos funcionários sobre a qualidade do processo decisório, sobre o quanto a empresa é ágil, participativa, centralizada ou descentralizada em suas decisões. Essa variável representa uma das diversas dimensões da variável "gestão".

12. **Condições Físicas de Trabalho:** verifica a qualidade e o conforto das condições físicas, das instalações, dos recursos colocados à disposição dos funcionários para a realização dos seus trabalhos: posto de trabalho, vestiários, horários de trabalho, local de trabalho, recursos disponíveis para o trabalho.

13. **Relacionamento da Empresa com os Sindicatos e Funcionários:** analisa a postura como a empresa se relaciona com os sindicatos; a qualidade do tratamento dos problemas trabalhistas. Avalia o tratamento que a empresa dispensa às reclamações (formais ou informais) dos empregados. Avalia o cumprimento da empresa quanto às obrigações a que ela está sujeita por força de acordos coletivos ou convenções coletivas de trabalho. Analisa também o grau de satisfação quanto à importância que os sindicatos têm, como órgãos representativos dos trabalhadores.

14. **Participação:** avalia as diferentes formas de participação dos funcionários no cotidiano da empresa; seu grau de conhecimento e envolvimento com os assuntos relevantes da empresa; sua participação na definição dos objetivos do seu setor de trabalho; a participação financeira que os funcionários têm nos resultados da empresa; a participação deles na gestão da empresa.

15. **Pagamento dos Salários:** avalia a incidência de erros na folha de pagamento; o conhecimento que os funcionários têm sobre os códigos de proventos e descontos lançados na folha de pagamento.

16. **Segurança do Trabalho:** avalia a percepção e a satisfação dos funcionários quanto às estratégias de prevenção e controle da empresa sobre os riscos de acidentes e doenças ocupacionais a que estão sujeitos os funcionários.

17. **Objetivos Organizacionais:** avalia a clareza, a transparência da empresa quanto à comunicação dos objetivos organizacionais e departamentais aos seus funcionários.

18. **Orientação da Empresa para Resultados:** avalia o quanto a empresa é percebida pelos seus funcionários no seu esforço de orientar-se para a consecução de seus resultados.

19. **Disciplina:** avalia o grau de rigidez da disciplina praticada na empresa, o grau de justiça na aplicação das punições.
20. **Imagem da Empresa:** avalia a opinião dos funcionários sobre como a empresa é percebida no mercado, por seus clientes, fornecedores e pela comunidade.
21. **Estrutura Organizacional:** avalia a opinião dos funcionários sobre a adequação da estrutura da empresa para o processo decisório, para a comunicação, para a consecução dos objetivos organizacionais.
22. **Ética e Responsabilidade Social:** avalia o quanto a empresa é ética e cumpre suas responsabilidades sociais, nas suas relações com seus parceiros comerciais, com os funcionários, com a comunidade e com o Estado.
23. **Qualidade e Satisfação do Cliente:** identifica a percepção dos funcionários quanto ao compromisso da empresa em relação à qualidade dos produtos, processos e serviços, assim como com a satisfação dos clientes.
24. **Reconhecimento:** avalia o quanto a empresa adota mecanismos de valorização e reconhecimento para seus funcionários.
25. **Vitalidade Organizacional:** avalia o ritmo de atividades desenvolvidas pela empresa. Se ela tem vitalidade ou se é uma empresa onde as coisas andam muito devagar, onde as mudanças se processam muito lentamente.
26. **Direção e Estratégias:** avalia a satisfação dos funcionários quanto à qualidade da direção da empresa, quanto à qualidade das estratégias adotadas e quanto à qualidade da condução dos negócios.
27. **Valorização dos Funcionários:** identifica o quanto a empresa valoriza, respeita, dá oportunidades e investe nos seus recursos humanos.
28. **Envolvimento/Comprometimento:** avalia o quanto os funcionários se sentem envolvidos e comprometidos com os objetivos e com os resultados da empresa, assim como o quanto essa adesão é voluntária ou compulsória.
29. **Trabalho em Equipe:** avalia o quanto a empresa estimula e valoriza o trabalho em equipe, em times para solucionar problemas, para buscar oportunidades, para aprimorar processos, para inovar etc.
30. **Modernidade:** avalia a percepção dos funcionários quanto à preocupação da empresa com relação à inovação/modernização de seus produtos, processos, serviços, tecnologia, modelo de gestão, instalações etc.

31. **Orientação da Empresa para os Clientes:** avalia a imagem externa da empresa, a percepção que os clientes externos têm sobre ela; procura identificar o quanto a empresa é sensível às necessidades de seus clientes.
32. **Planejamento e Organização:** avalia o quanto a empresa é percebida como sendo bem planejada e organizada pelos seus diferentes gestores; o quanto a empresa é clara na divulgação de seus objetivos e planos departamentais e organizacionais.
33. **Fatores Motivacionais:** essa variável procura identificar quais fatores do ambiente de trabalho são percebidos pelos funcionários como de maior contribuição para a motivação deles.
34. **Fatores Desmotivadores:** essa variável procura identificar quais fatores do ambiente de trabalho são percebidos pelos funcionários como de maior contribuição para a desmotivação deles.

PARTE II

ASPECTOS PRÁTICOS SOBRE CLIMA ORGANIZACIONAL: O PASSO A PASSO DE UMA PESQUISA DE CLIMA

AS ONZE ETAPAS PARA A MONTAGEM E APLICAÇÃO DE UMA PESQUISA DE CLIMA ORGANIZACIONAL

1ª) Obtenção da Aprovação e do Apoio da Direção.

2ª) Planejamento da Pesquisa:

Definição do objetivo, públicos, quem vai conduzir, técnica a ser usada, coleta, periodicidade ou momento de aplicação, tabulação, divulgação, preparação das chefias, abrangência da pesquisa etc.

3ª) Definição das Variáveis (assuntos) a Serem Pesquisadas.

4ª) Montagem e Validação dos Cadernos de Pesquisa:

Elaboração das perguntas e das opções de respostas; validação junto a um grupo piloto.

5ª) Parametrização para Tabulação das Opções de Resposta.

6ª) Divulgação da Pesquisa.

7ª) Aplicação e Coleta da Pesquisa.

8ª) Tabulação da Pesquisa.

9ª) Emissão de Relatórios.

10ª) Divulgação dos Resultados da Pesquisa.

11ª) Definição de Planos de Ação.

1ª Etapa: Obtenção da Aprovação e do Apoio da Direção

➢ **Devemos buscar a Aprovação, o Apoio e o Comprometimento da Direção. O Comprometimento caracteriza-se pelo compromisso assumido com as mudanças a serem implementadas.**

Esse é o momento essencial para decidir pela realização ou não de uma pesquisa. Caso a direção da empresa não queira se comprometer com o projeto da pesquisa, mais especificamente com a realização das mudanças que ficarem identificadas pela pesquisa como necessárias, então não convém iniciá-la, pois a área de RH só perderia a sua credibilidade, já que sozinha não teria condições de implementar determinadas mudanças, que teriam de ser aprovadas pela direção da empresa.

2ª Etapa: Planejamento da Pesquisa

Nessa etapa são tomadas as seguintes decisões: definição do objetivo da pesquisa; definição do público-alvo; quem vai conduzir a pesquisa; quem vai coletar as pesquisas ou a forma de coleta; definição da técnica a ser usada; periodicidade ou momento de aplicação da pesquisa; preparação das chefias; abrangência da pesquisa; identificação dos setores pesquisados; distribuição de funcionários em outros departamentos da mesma diretoria: quando o número deles for inferior a 3; formação da equipe para análise/solução dos fatores críticos.

➢ **Definição do objetivo da pesquisa:**

O diagnóstico do clima organizacional é uma estratégia para identificar oportunidades de melhoria no ambiente de trabalho.

Através da pesquisa de clima, a área de Recursos Humanos passa a conhecer os aspectos críticos que devem ser melhorados.

A pesquisa pode ter como objetivos:

- Avaliar o grau de satisfação dos funcionários em relação à empresa. Esse é o principal e mais usual objetivo das pesquisas de clima.

- Determinar o grau de prontidão de uma empresa para a implantação de alguma mudança.

É importante utilizar o instrumento da pesquisa de clima a fim de avaliar o quanto uma empresa está pronta, apta ou madura para introduzir determinadas mudanças, quer sejam elas na tecnologia, na estrutura organizacional, nos processos de trabalho ou em relação às pessoas.

- Avaliar o grau de satisfação dos funcionários, decorrente do impacto de alguma mudança.

  A pesquisa pode também ser utilizada para avaliar o impacto que alguma mudança tenha gerado no quadro de pessoal. Esse objetivo é essencial caso a empresa tenha passado por um processo recente de fusão ou de aquisição de uma outra empresa.

- Avaliar o grau de disseminação de determinados valores culturais entre os funcionários.

  É comum as empresas divulgarem um rol de valores, assim como elas fazem com a missão e com a sua visão de futuro. Embora esses valores sejam desejados pelas empresas, nem sempre eles estão efetivamente incorporados ou praticados pelos empregados. Nesse sentido, a pesquisa é um meio importantíssimo de se verificar o quanto eles estão difundidos e exercidos no dia-a-dia.

As pesquisas de clima podem ter objetivos mistos, combinando mais de um dos objetivos apresentados.

➢ Definição do público-alvo

Conhecido o objetivo, o passo seguinte é definir o público-alvo, ou seja, se a pesquisa será aplicada a todos os funcionários ou a uma parcela deles e se ela será extensiva a todas as unidades e regiões, ou se fixará apenas na sede da empresa. Com isso, define-se a abrangência de uma pesquisa.

- Funcionários: geralmente, a pesquisa é aplicada somente para eles.

- Terceiros: estagiários, demais prestadores de serviços.

➢ Quem vai conduzir a pesquisa

- Deve-se decidir se a pesquisa será conduzida por uma equipe de RH ou por uma consultoria.

  - ✦ Vantagens da consultoria: conhecimento especializado, isenção; *benchmarking* alivia a equipe de RH desse trabalho.
  - ✦ Vantagem da equipe de RH: custo.

➤ **Coleta das pesquisas**

- Nunca permitir que as chefias recolham os cadernos de respostas.
- Devolução nas urnas ou via correio.

➤ **Definição da técnica a ser usada**

- Questionário.
- Entrevistas.
- Painel de Debates.

➤ **Periodicidade ou momento de aplicação da pesquisa**

- De preferência em momentos de neutralidade.
- Evitar picos de alegria ou tristeza.

➤ **Preparação dos gestores**

A variável "gestão" é uma das mais importantes em uma pesquisa. Por isso, uma das mais exploradas. Ela desnuda as deficiências gerenciais.

Quando se tratar de uma primeira pesquisa de clima, é extremamente relevante a realização de um treinamento prévio dos gestores, a fim de prepará-los para as eventuais críticas a que serão expostos. É necessário assegurar-lhes que a pesquisa não é um instrumento de caça às bruxas, muito embora ela desnude as deficiências gerenciais.

- Não se trata de uma caça aos culpados. O propósito não é demitir.
- O objetivo é identificar oportunidades de melhoria do ambiente de trabalho.

➤ **Abrangência da pesquisa**

- Amostragem.
- Todos os funcionários.

➤ **Distribuição de funcionários em outros departamentos da mesma diretoria**

- Quando o número de funcionários em um determinado departamento for menor do que três.

➢ **Identificação dos setores pesquisados**

Para que a pesquisa tenha a maior credibilidade possível, é recomendável que as pessoas que estejam respondendo não sejam identificadas, pois isso poderia mascarar as respostas apresentadas. A única identificação necessária refere-se aos setores de trabalho. Essa operação é necessária para que se possa tabular o clima de cada um dos setores da empresa, e com isso identificar possíveis focos de problemas.

Uma empresa pode apresentar um clima bom na sua totalidade, mas, ao mesmo tempo, apresentar um clima ruim em um determinado setor. Se essa identificação não for feita, não se consegue detectar os problemas localizados.

3ª Etapa: Definição das Variáveis (Assuntos a Serem Pesquisados)

Variáveis organizacionais são os assuntos pesquisados. São os diferentes aspectos da empresa que podem causar satisfação ou insatisfação nos empregados. A pesquisa identifica seu impacto sobre os funcionários e como eles percebem e reagem a cada uma delas.

Existem inúmeras variáveis organizacionais, tradicionalmente pesquisadas pelas empresas. A partir da análise dessas variáveis, a empresa poderá optar por aquelas que julgar mais importantes e ainda acrescentar algumas variáveis específicas à sua realidade.

Grande parcela do sucesso de uma pesquisa está na correta definição das variáveis organizacionais, já que sua abrangência permitirá uma maior ou menor cobertura aos aspectos a serem pesquisados.

- ⮕ Nesta etapa da pesquisa, são escolhidas as variáveis organizacionais que serão pesquisadas.
- ⮕ As empresas tradicionalmente pesquisam um conjunto comum de variáveis.
- ⮕ É recomendável que de uma pesquisa para outra a empresa mantenha um bloco mínimo de perguntas, a fim de facilitar a comparação dos resultados das pesquisas.
- ⮕ Dentre as diversas variáveis, as mais importantes, em função do impacto que causam na satisfação/insatisfação das pessoas no trabalho, são:

- Gestão.
- Salário.

⊃ As empresas pesquisam tradicionalmente de oito a 12 variáveis organizacionais.

4ª Etapa: Montagem e Validação do Instrumento de Pesquisa

Nessa etapa, a empresa vai construir e validar, sozinha ou com o auxílio de uma consultoria especializada, o instrumento de pesquisa.

Existem algumas técnicas para realizar uma pesquisa de clima, sendo a mais tradicional a aplicação de questionários, por meios eletrônicos ou impressos.

O questionário impresso apresenta inúmeras vantagens, dentre elas, uma melhor aceitação por parte dos pesquisados, que vêem na pesquisa eletrônica uma possibilidade de quebra do anonimato dos respondentes.

Nessa etapa, são elaboradas as perguntas do questionário, com suas respectivas opções de respostas, para cada variável organizacional pesquisada.

Após a montagem do questionário de pesquisa, devemos proceder a validação dele junto a um grupo piloto de funcionários. Essa operação é importante para se ter a certeza de que as perguntas serão compreendidas, quando da aplicação da pesquisa.

1º) Escolha das perguntas para cada variável

As perguntas relativas a cada variável devem ser em número suficiente para cobrir bem o assunto pesquisado. O número total de perguntas de um questionário não pode ser excessivo para não levar as pessoas à monotonia, respondendo de qualquer jeito à pesquisa. Todavia, cada variável deve conter uma quantidade razoável de perguntas.

2º) Decisão sobre o uso de perguntas-controle ou perguntas cruzadas

Essas perguntas geralmente são usadas para testar a coerência das respostas de alguns assuntos polêmicos na empresa. Alguns assuntos devem merecer um tratamento especial. Para tanto, devemos usar nas pesquisas mais de uma pergunta sobre o mesmo assunto, com diferentes redações. Ao tabular as respostas, verifica-se se há coerência nas respostas apresentadas às diferentes perguntas. Caso não haja coerência, essas respostas devem ser desconsideradas na tabulação.

3º) Escolha das opções de resposta para cada pergunta

As opções do tipo "sim" e "não" radicalizam as respostas, além de não permitir que se gradue a intensidade delas.

Por exemplo, quando perguntamos "você gosta do seu chefe?", e o funcionário responde não, isso não significa, necessariamente, que ele o deteste. Da mesma forma, quando ele responde sim, isso não significa que ele o adore.

Por isso, é recomendável o uso de respostas em forma de escala. Por exemplo, numa escala de 1 a 10, onde 1 significa que o funcionário adora o chefe e o 10 significa que ele o detesta, o respondente poderá manifestar-se com mais precisão. Por outro lado, na hora de se tabular a pesquisa, ficará fácil graduar o grau de intensidade de satisfação ou insatisfação dos funcionários com os seus chefes.

Outro cuidado que devemos tomar diz respeito ao uso de opções ímpares de respostas. Elas levam o respondente ao que chamamos de "vício da tendência central", ou seja, a pessoa tende a assinalar a opção do meio. Para evitar essa comodidade de quem está respondendo, devemos oferecer, na medida do possível, opções pares de respostas.

Por exemplo, ao perguntarmos sobre a capacidade técnica de um gestor, poderíamos oferecer como opções de respostas:

Como você avalia a capacidade técnica de seu chefe?

Ótima ( ) Boa ( ) Regular ( ) Ruim ( )

Esse conjunto de respostas estaria adequado. Todavia se apresentássemos o conjunto abaixo, poderíamos induzir os respondentes ao vício mencionado anteriormente.

Como você avalia a capacidade técnica de seu chefe?

Ótima ( ) Muito Boa ( ) Boa ( ) Regular ( ) Ruim ( )

Um outro cuidado que devemos observar ao montarmos o caderno de perguntas e respostas refere-se àqueles funcionários que, por diferentes razões, não têm como responder a uma determinada pergunta. Por exemplo, um funcionário que vai para a empresa com o seu carro próprio não deveria opinar sobre o transporte coletivo usado pelos demais funcionários da empresa. Os homens não deveriam responder sobre o serviço médico ginecológico da empresa. Um funcionário recém-admitido talvez não tenha como se manifestar sobre o seu superior imediato. Para evitar que, nesses casos, os funcionários façam uma opção indevida qualquer, é conveniente adotar no caderno de pesquisa a opção "não tenho opinião".

4º) Decisão de fazer um ou mais cadernos de perguntas. Considerar: diferenças acentuadas nos públicos-alvo; diferenças de benefícios etc.

5º) Montagem do instrumento de pesquisa

- Caderno de perguntas e respostas.
- Caderno de perguntas.
- Folha de respostas.

É recomendável manter sempre entre as várias pesquisas realizadas um conjunto de perguntas e variáveis, para que a empresa possa comparar seus resultados de um ano em relação a outro.

6º) Validação do instrumento de pesquisa

Uma vez definido o instrumento de pesquisa, ele deve ser aplicado junto a um grupo piloto de funcionários, a fim de validar a pesquisa: forma, conteúdo, interpretação de perguntas que possam suscitar dúvidas etc.

5ª Etapa: Parametrização

Essa etapa preliminar à tabulação da pesquisa exige um detalhado trabalho de planejamento, necessário à parametrização de todas as respostas do instrumento de pesquisa.

Nessa fase, são formulados os parâmetros que permitirão a tabulação eletrônica ou manual dos dados coletados, em conformidade com os critérios previamente formulados. Na tabulação eletrônica dos dados, devem trabalhar o especialista em informática, a equipe de RH da empresa e, quando necessário, os consultores.

- Consiste em definir parâmetros (critérios) para facilitar a tabulação (cálculos) das diferentes opções de respostas.
- Cada opção de resposta deve ser interpretada, no momento da tabulação, como manifestação de satisfação ou insatisfação do respondente.

Exemplo de Parametrização

O ambiente de trabalho no seu setor é bom?

sempre ( ) quase sempre ( ) raramente ( ) não tenho opinião ( )

Opção de Resposta	Parâmetro
Sempre	Satisfeito
Quase sempre	Satisfeito
Raramente	Insatisfeito
Não tenho opinião	Tabula-se só o percentual

Pelos parâmetros acima definidos, ao se tabular a pergunta do exemplo dado, serão considerados satisfeitos os empregados que optarem pelas respostas "Sempre" ou "Quase sempre". As respostas tabuladas como "Raramente" serão consideradas como manifestação de insatisfação.

6ª Etapa: Divulgação da Pesquisa (Antes da sua Aplicação)

Essa etapa reveste-se de enorme importância, porquanto é responsável pelo índice de adesão ou de respostas de uma pesquisa de clima.

A participação maciça é fundamental nesse tipo de pesquisa. Para tanto, é indispensável empreender todo um esforço no processo de comunicação, para se assegurar toda a compreensão dos funcionários quanto aos objetivos da pesquisa, data, local e forma de aplicação e coleta dos questionários.

O sucesso dessa etapa depende do apoio que a alta administração da empresa manifestará quanto ao projeto. Por isso, é condição *sine qua non* que a área de Recursos Humanos certifique-se, previamente, do real comprometimento da direção da empresa para realizar as mudanças identificadas como necessárias pela pesquisa.

- A divulgação (sensibilização) acontece antes da aplicação da pesquisa.
- Consiste em empreender todo um esforço de endomarketing, a fim de divulgar a pesquisa e sensibilizar os funcionários.
- Cria um clima em torno da pesquisa, afinal trata-se de uma importante ação desenvolvida pela empresa. Trata-se de um projeto institucional.
- É responsável pelo índice de adesão dos funcionários à pesquisa.
- Deve utilizar todos os meios de comunicação disponíveis na empresa: circular, jornal interno, intranet, quadros de aviso.
- Divulga os objetivos da pesquisa; quando e como ela será aplicada; quem a conduzirá, se a empresa contará com a assessoria de alguma consultoria especializada no assunto ou se será conduzida pela sua equipe de RH; como será coletada.
- Demonstra o comprometimento e o apoio da alta administração. Para tanto, é recomendável divulgar uma circular do presidente ou de algum diretor avalizando a iniciativa. É comum, também, que esses comunicados acompanhem o material da pesquisa no momento de sua aplicação.

7ª Etapa: Aplicação e Coleta da Pesquisa

Nessa etapa, define-se se a pesquisa será aplicada diretamente pela equipe da empresa, por uma consultoria externa, ou por ambas. Também é definida a forma de coleta dos questionários.

- A pesquisa deve ser respondida, de preferência, no próprio local de trabalho. Quando respondida em casa, corre-se o risco de sofrer influência de terceiros. Corre-se também o risco de o funcionário perder a pesquisa ou não devolvê-la em tempo hábil.
- Não se deve permitir que a coleta dos cadernos de respostas seja feita através dos gestores. Isso pode influenciar nas respostas dos pesquisados, que poderão "maquiar" as suas opções, para "agradar" aos gestores.

A presença dos chefes no momento da aplicação da pesquisa pode intimidar os respondentes, sobretudo se eles ficarem responsáveis pela sua coleta.

- A coleta deve ser feita através de urnas. O próprio funcionário, após preencher o questionário, deposita a folha de resposta em uma das urnas.

- Outra forma de coleta é através do envio dos questionários pelo Correio.
- A aplicação e a coleta podem ser feitas eletronicamente. O sucesso dessa opção depende da cultura da organização. Alguns funcionários poderão questionar a quebra do sigilo de suas respostas. Essa opção agiliza e torna mais barato e preciso o processamento da pesquisa.

8ª Etapa: Tabulação da Pesquisa

Essa etapa da pesquisa consiste no processamento manual ou eletrônico dos dados coletados, com o propósito de calcular o percentual dos funcionários satisfeitos em relação aos diferentes assuntos pesquisados.

Quando uma pesquisa é feita para um grande número de pessoas, a tabulação manual torna-se extremamente trabalhosa. Nesses casos, recomenda-se que a tabulação seja feita através de um sistema informatizado.

Tipos de Tabulação

- Por Pergunta.
- Por Variável.
- Conjunto de Variáveis.
- Série Histórica das Variáveis.
- Por Região.
- Por Diretoria.
- Por Departamento.
- Por Unidade (Fábrica ou Loja).
- Por Nível Hierárquico.
- Por Regime de Trabalho (Estagiário – Terceirizado – Temporário).
- Por Tempo de Serviço.
- Por Turno de Trabalho
- Por Sexo e Faixa Etária.
- Resultado Global: Índice de Satisfação Geral – ISG.
- Série Histórica do ISG.
- Das Sugestões para tornar a empresa um lugar melhor para se trabalhar.

TABULAÇÃO POR PERGUNTA

A pesquisa deve ser tabulada inicialmente a partir de cada pergunta. A empresa precisa saber o grau de satisfação ou insatisfação dos funcionários, com relação a cada pergunta feita na pesquisa.

Para tanto, ao planejar o "sistema informatizado para tabulação", a área de RH deve interpretar para o especialista de informática que respostas devem ser "classificadas" como satisfatórias e quais as que devem ser consideradas como insatisfatórias. Para isso, cada resposta do questionário deve ser codificada, a fim de facilitar a tabulação informatizada da pesquisa. Exemplo:

O lanche servido no refeitório é:

- Ótimo ( )
- Bom ( )
- Regular ( )
- Ruim ( )

Na montagem do sistema de tabulação, o profissional de RH deve orientar o profissional de informática que no exemplo acima as respostas computadas como " ótimo" e "bom" devem ser classificadas dentro do percentual de "funcionários satisfeitos". Já as respostas computadas como "regular" e "ruim" devem ser classificadas dentro do percentual de "funcionários insatisfeitos".

Dessa forma, se para a pergunta acima 100 funcionários deram as seguintes respostas: 60 responderam "ótimo"; 20 responderam "bom"; 8 optaram por "regular"; e 2 optaram por "ruim", então, o sistema, ao tabular essas informações, iria considerar que 80% dos funcionários acham o lanche satisfatório e 20%, insatisfatório. Outra interpretação seria que 80% dos funcionários estão satisfeitos com o lanche, enquanto que 20% estão insatisfeitos.

De acordo com o trabalho que você faz, seu salário é:

- Bom ( ) – 40 respostas
- Razoável ( ) – 14 respostas
- Ruim ( ) – 46 respostas
- Total de Respostas: 100

Tabulação da pergunta quanto ao salário:

54% estão satisfeitos e 46% estão insatisfeitos

EXERCÍCIO: FAÇA A TABULAÇÃO DA SEGUINTE PERGUNTA:

O ambiente de trabalho no seu setor é bom?

- Sempre ( ) – 40 respostas
- Quase sempre ( ) – 14 respostas
- Raramente ( ) – 28 respostas
- Nunca ( ) – 12 respostas
- Não tenho opinião ( ) – 6 respostas
- Total de Respostas: 100

Considerando as seguintes parametrizações:

- Sempre e quase sempre = satisfatórios
- Raramente e nunca = insatisfatórios

TABULAÇÃO POR VARIÁVEL (ASSUNTO PESQUISADO)

Além de tabular cada pergunta feita na pesquisa, a empresa deve calcular também o grau de satisfação dos funcionários em relação a cada variável pesquisada.

A tabulação de uma variável decorre da tabulação de todas as perguntas relacionadas a uma determinada variável.

⇨ Aponta o grau de satisfação dos funcionários com relação a uma determinada variável.

⇨ Corresponde à média aritmética dos percentuais de satisfação, obtidos na tabulação das diferentes respostas relacionadas a cada variável.

Exemplo 1: Tabulação da Variável Gestão

Imaginemos, hipoteticamente, que dez pessoas responderam a uma pesquisa de clima, na qual foram incluídas 15 perguntas sobre a variável gestão: as de número 13, 18, 19, 22, 23, 24, 28, 31, 32, 33, 68, 69, 70, 76 e 77.

Os resultados coletados foram os seguintes:

Pergunta 13. As orientações que você recebe sobre o seu trabalho são claras e objetivas?

(2) Sempre ( ) Quase sempre (6) Raramente (2) Nunca ( ) Não tenho opinião
2 funcionários responderam Sempre
6 responderam Raramente
2 responderam Nunca

Pergunta 18. Existe reconhecimento pelos trabalhos bem-feitos pelos funcionários?

( ) Sempre (1) Quase sempre (2) Raramente (7) Nunca ( ) Não tenho opinião
1 funcionário respondeu Quase sempre
2 responderam Raramente
7 responderam Nunca

Pergunta 19. O seu superior imediato incentiva o trabalho em equipe?

( ) Sempre (7) Quase sempre (3) Raramente ( ) Nunca ( ) Não tenho opinião
7 funcionários responderam Quase sempre
3 responderam Raramente

Pergunta 22. Seu superior imediato é receptivo às sugestões de mudança?

( ) Sempre (1) Quase sempre (6) Raramente (3) Nunca ( ) Não tenho opinião
1 funcionário respondeu Quase sempre
6 responderam Raramente
3 responderam Nunca

Pergunta 23. Na sua equipe de trabalho, pontos de vista divergentes são debatidos antes de se tomar uma decisão?

( ) Sempre (3) Quase sempre (5) Raramente (2) Nunca ( ) Não tenho opinião
3 funcionários responderam Quase sempre
5 responderam Raramente
2 responderam Nunca

Pergunta 24. Você tem uma idéia clara sobre o resultado que o seu superior imediato espera do seu trabalho?

( ) Sempre (2) Quase sempre (5) Raramente (3) Nunca ( ) Não tenho opinião
2 funcionários responderam Quase sempre
5 responderam Raramente
3 responderam Nunca

Pergunta 28. Você confia nas decisões tomadas pelo seu superior imediato?

(2) Sempre (5) Quase sempre (3) Raramente ( ) Nunca ( ) Não tenho opinião
2 funcionários responderam Sempre
5 responderam Quase sempre
3 responderam Raramente

Pergunta 31. Os gestores da empresa têm interesse no bem-estar dos funcionários?

( ) Sempre (6) Quase sempre (4) Raramente ( ) Nunca ( ) Não tenho opinião
6 funcionários responderam Quase sempre
4 responderam Raramente

Pergunta 32. Você considera que seu trabalho é avaliado de forma justa pelos seus superiores?

( ) Sempre (6) Quase sempre (3) Raramente (1) Nunca ( ) Não tenho opinião
6 funcionários responderam Quase sempre
3 responderam Raramente
1 respondeu Nunca

Pergunta 33. Você recebe o reconhecimento devido quando realiza um bom trabalho?

( ) Sempre (2) Quase sempre (7) Raramente (1) Nunca ( ) Não tenho opinião
2 funcionários responderam Quase sempre
7 responderam Raramente
1 respondeu Nunca

Pergunta 68. Você considera o seu superior hierárquico um bom líder?

( ) Sim (6) Não (4) Mais ou menos
6 funcionários responderam Não
4 responderam Mais ou menos

Pergunta 69. Você considera o seu superior hierárquico bom profissionalmente?

(4) Sim (5) Não (1) Mais ou menos
4 funcionários responderam Sim
5 responderam Não
1 respondeu Mais ou menos

Pergunta 70. Você se sente à vontade para falar abertamente a respeito de trabalho com o seu superior imediato?

(1) Sempre (3) Quase sempre (6) Raramente ( ) Nunca
1 funcionário respondeu Sempre
3 responderam Quase sempre
6 responderam Raramente

Pergunta 76. Você participa juntamente com o seu superior imediato das decisões que afetam seu trabalho?

( ) Sempre (3) Quase sempre (3) Raramente (4) Nunca ( ) Não tenho opinião
3 funcionários responderam Quase sempre
3 responderam Raramente
4 responderam Nunca

Pergunta 77. Seu superior imediato costuma discutir os resultados da sua avaliação de desempenho com você?

( ) Sempre (3) Quase sempre (6) Raramente (1) Nunca ( ) Não tenho opinião
3 funcionários responderam Quase sempre
6 responderam Raramente
1 respondeu Nunca

Imaginemos, também, que a empresa definiu as seguintes parametrizações para realizar a tabulação dessa pesquisa:

Parametrização:

- Sempre, Quase Sempre, Sim e Mais ou Menos: devem ser tabulados como manifestação de satisfação por parte do respondente.
- Raramente, Nunca e Não: devem ser tabulados como manifestação de insatisfação.

Opção de Resposta	Parâmetro
Sempre	Satisfeito
Quase Sempre	Satisfeito
Sim	Satisfeito
Mais ou Menos	Satisfeito
Raramente	Insatisfeito
Nunca	Insatisfeito
Não	Insatisfeito

Resultado da Tabulação da Variável Gestão: 37% de satisfação

Pergunta	Nº de Satisfeitos	% de Satisfeitos	Nº de Insatisfeitos	% de Insatisfeitos
13	2	20	8	80
18	1	10	9	90
19	7	70	3	30
22	1	10	9	90
23	3	30	7	70
24	2	20	8	80
28	7	70	3	30
31	6	60	4	40
32	6	60	4	40
33	2	20	8	80
68	4	40	6	60
69	5	50	5	50
70	4	40	6	60
76	3	30	7	70
77	3	30	7	70
Resultado	**56**	**37**	**94**	**63**

TABULAÇÃO DA VARIÁVEL "GESTÃO"

Essa variável apura o grau de satisfação dos funcionários em relação aos seus gestores. Ela permite que eles avaliem seus superiores hierárquicos sob diferentes ângulos: capacidade técnica, capacidade humana, capacidade administrativa (planejamento, organização, controle, liderança) etc.

Para uma melhor análise dessa variável, é necessário que a empresa apure o grau de satisfação de todos os funcionários com relação às suas chefias. É importante também que a tabulação seja desdobrada, apontando o grau de satisfação dos funcionários com relação aos seus superiores hierárquicos, no âmbito de cada diretoria, departamento, setor etc.

Esse desdobramento é importante para se evitar um erro na interpretação da pesquisa. Podemos, por exemplo, verificar numa determinada empresa que 80% dos funcionários estão satisfeitos com os seus gestores. Em princípio, essa empresa deveria vibrar com os seus resultados. Todavia, ao apurarmos esse nível de satisfação por departamento, poderemos detectar que em algum deles 95% estão insatisfeitos com o gestor. Logo, essa empresa tem um sério problema para resolver.

A apuração global dessa variável, considerando a totalidade dos gestores da empresa, sem considerar os resultados de cada departamento, pode camuflar a identificação de alguns problemas localizados, por isso a tabulação tem de ser geral e particular.

Para que essa tabulação seja viabilizada, é necessário que os diferentes setores da empresa sejam identificados. Para tanto, os questionários distribuídos em cada setor devem receber um mesmo código. Essa é a única identificação permitida numa pesquisa, já que o anonimato de cada respondente deve ser preservado por ser essencial ao êxito da pesquisa. Essa identificação dos setores deve ser explicada aos funcionários, a fim de se evitarem problemas de credibilidade.

Para evitar a quebra do anonimato dos respondentes, é conveniente adotar um cuidado especial em relação aos setores de trabalho que só têm um, dois ou três funcionários. Nesses casos, esses setores devem receber a mesma codificação de um outro setor pertencente a um mesmo departamento. Por exemplo, imaginemos que o Departamento Financeiro de uma empresa seja composto de três setores: Contas a Pagar, Contas a Receber e Crédito e Cobrança, e que no primeiro só possua um funcionário. Se dermos ao setor de Contas a Pagar um código especial, estaremos identificando o funcionário que respondeu à pesquisa. Nesse caso, o setor de Contas a Pagar deveria receber o mesmo código atribuído ao setor de Contas a Receber ou de Cobranças.

Exemplo 2: Tabulação da Variável "Valorização/Reconhecimento"

Imaginemos, hipoteticamente, que dez pessoas responderam a uma pesquisa de clima, na qual foram incluídas seis perguntas sobre a variável "Reconhecimento/Recompensa": as de número 4, 6, 11, 20, 30, 41. Os resultados coletados foram os seguintes:

Pergunta 4: As pessoas competentes são as que têm as melhores oportunidades na empresa?

(1) Sempre (3) Quase sempre (6) Raramente ( ) Nunca

Pergunta 6: Você recebe o reconhecimento devido toda vez que realiza um trabalho excepcional?

( ) Sempre (2) Quase sempre (6) Raramente (2) Nunca

Pergunta 11: O progresso profissional em nossa empresa se baseia no mérito de cada funcionário?

( ) Sempre (1) Quase sempre (6) Raramente (3) Nunca

Pergunta 20: A permanência de um funcionário na empresa baseia-se principalmente no desempenho dele?

(1) Sempre (2) Quase sempre (6) Raramente (1) Nunca

Pergunta 30: Você é recompensado quando apresenta desempenhos excelentes?

( ) Sempre (1) Quase sempre (6) Raramente (3) Nunca

Pergunta 41: Sinto que meu trabalho é valorizado pela empresa.

( ) Sempre (1) Quase sempre (6) Raramente (3) Nunca

Parametrização:

- Sempre, Quase Sempre: devem ser tabulados como manifestação de satisfação por parte do respondente.
- Raramente, Nunca: devem ser tabulados como manifestação de insatisfação.

Opção de Resposta	Parâmetro
Sempre	Satisfeito
Quase Sempre	Satisfeito
Raramente	Insatisfeito
Nunca	Insatisfeito

**Resultado da Tabulação da Variável "Valorização/Reconhecimento":
20% de satisfação**

Pergunta	Nº de Satisfeitos	% de Satisfeitos	Nº de Insatisfeitos	% de Insatisfeitos
4	4	40	6	60
6	2	20	8	80
11	1	10	9	90
20	3	30	7	70
30	1	10	9	90
41	1	10	9	90
Resultado	**12**	**20**	**48**	**80**

TABULAÇÃO POR ÁREA GEOGRÁFICA (QUANDO A EMPRESA ESTÁ INSTALADA EM DIFERENTES REGIÕES)

Algumas empresas têm atuação em âmbito nacional ou têm fábricas ou escritórios em algumas regiões do país. Nesses casos, quando a pesquisa é realizada em toda a empresa, a tabulação deve ser considerada para cada área geográfica. Com isso, a empresa pode detectar a eventual existência de focos de problemas em determinadas regiões onde atua.

A tabulação geral da pesquisa pode, por exemplo, indicar que é alto o grau de satisfação dos funcionários, todavia a tabulação de cada área geográfica pode revelar que a empresa necessita adotar algumas providências em determinadas regiões, onde é alto o grau de insatisfação.

TABULAÇÃO GERAL (CONSIDERANDO TODAS AS VARIÁVEIS)

Além da tabulação de cada pergunta e da tabulação de cada variável (assunto pesquisado), é necessário calcular o grau de satisfação dos funcionários com relação à pesquisa como um todo, ou seja, com relação ao conjunto das variáveis pesquisadas. Essa tabulação representa o resultado geral da pesquisa, também chamado de ISG – Índice de Satisfação Geral.

Esse Índice de Satisfação Geral é obtido através da média aritmética dos percentuais de satisfação dos funcionários, considerando todas as variáveis pesquisadas.

Exemplo:

Variável	% de satisfação
Salário	58
Benefícios	74
Segurança no Trabalho	68
Desenvolvimento dos RHs	66
Progresso Profissional (Carreira)	48
Integração entre os Departamentos	92
Comunicação	64
Trabalho em Equipe	81
Valorização/Reconhecimento	20
Liderança/Gestão	37
Imagem da Empresa	74
Clareza de Objetivos	52
O Trabalho em Si	82
Condições de Trabalho	92
ISG (resultado geral)	65

TABULAÇÃO ESPECIAL

Toda pesquisa de clima deve incluir a seguinte pergunta: **De modo geral, você está satisfeito em trabalhar na empresa?** Essa pergunta é essencial para validar a abrangência do instrumento utilizado. A tabulação dessa pergunta deve corresponder ao resultado geral da pesquisa (ISG), caso contrário, é possível que determinados assuntos não tenham sido pesquisados.

Pode ocorrer que uma determinada empresa realize uma pesquisa de clima, sem consultar seus empregados sobre alguns temas considerados críticos. Imaginemos uma empresa que remunere muito mal seus empregados e que seus gestores gerem uma enorme insatisfação em suas equipes de trabalho. Caso essa empresa realize uma pesquisa de clima, sem incluir as variáveis (assuntos) Remuneração e Gestão, pode ser que ela obtenha um alto ISG – Índice de Satisfação Geral. Contudo é bem provável que o resultado da pergunta **(De modo geral, você está satisfeito em trabalhar na empresa?)** apresente um baixo índice de satisfação. Essa discrepância indica que alguma coisa importante quanto à satisfação dos funcionários não foi consultada. Nesse caso, a pergunta estará indicando que o instrumento utilizado na pesquisa não estava adequado.

➲ Quanto menor for a discrepância entre o percentual dessa pergunta e o do Índice de Satisfação Geral, maior será a certeza de que o instrumento de pesquisa utilizado foi bom para aferir o grau de satisfação dos funcionários.

SÉRIE HISTÓRICA

A Série Histórica representa os resultados cumulativos de uma determinada informação pesquisada, obtidos em pesquisas anteriores. A Série Histórica serve para indicar tendências.

Vamos imaginar uma empresa que realiza, anualmente, pesquisas de clima e que tenha adotado determinadas medidas de melhoria dos salários de seus empregados, e que nos últimos cinco anos tenha apresentado os seguintes resultados quanto à satisfação dos funcionários sobre seus Salários:

1999: 48%

1999: 51%

2000: 54%

2001: 57%

2002: 61%

No caso apresentado, observamos que a empresa apresenta um crescente aumento do grau de satisfação quanto aos salários de seus funcionários, possivelmente, decorrente das medidas adotadas. Esse "retrato" dos resultados anteriores ajuda o administrador a se certificar que eventuais providências tomadas surtiram ou não os efeitos desejados.

9ª Etapa: Emissão de Relatórios

Essa etapa da pesquisa compreende a emissão de diversos relatórios. Eles devem ser detalhados, apresentando os resultados de cada variável, o ISG – Índice de Satisfação Geral, os resultados de cada setor etc.

Os relatórios devem apresentar gráficos para representar os dados tabulados da pesquisa, assim como os comentários pertinentes a cada gráfico.

1º) Gráficos: os gráficos facilitam a visualização dos números apresentados pela tabulação da pesquisa. Cada assunto tabulado é apresentado sob a forma de um gráfico.

2º) Comentários: a interpretação dos resultados da pesquisa é de fundamental importância. A partir dela, são preparados os comentários que se seguem aos gráficos. Esses comentários ressaltam os pontos positivos que devem ser mantidos pela empresa. Realçam ainda os pontos críticos pesquisados. Eles sugerem as medidas que a empresa deve tomar a fim de modificar esses pontos críticos

Por exemplo, a variável "Gestão" obteve um percentual de 37% de satisfação. No gráfico que a representa, podemos observar as perguntas que obtiveram maiores e menores percentuais de satisfação.

O objetivo dos comentários é analisar os resultados da tabulação, representados sob a forma de gráficos. Nos comentários são ressaltados os pontos fortes do ambiente de trabalho e são recomendadas certas medidas que possam aumentar o grau de satisfação dos empregados.

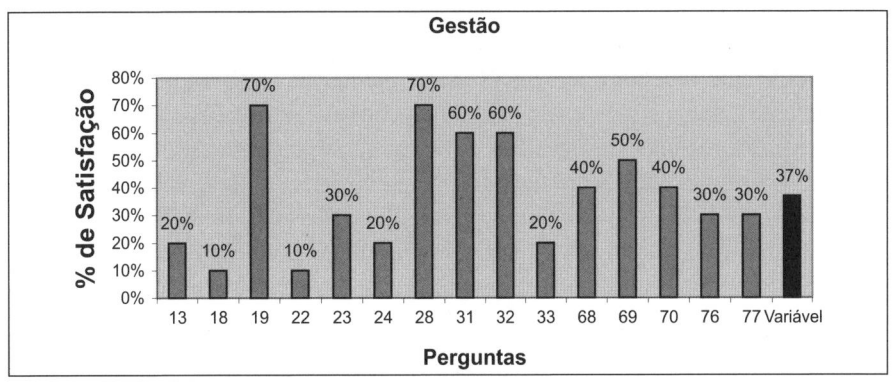

Gestão

Perguntas	% de Satisfação
13	20%
18	10%
19	70%
22	10%
23	30%
24	20%
28	70%
31	60%
32	60%
33	20%
68	40%
69	50%
70	40%
76	30%
77	30%
Variável	37%

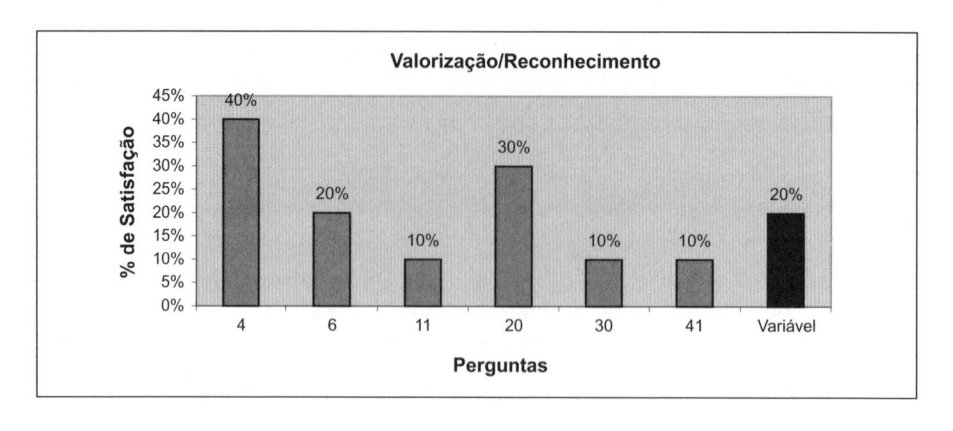

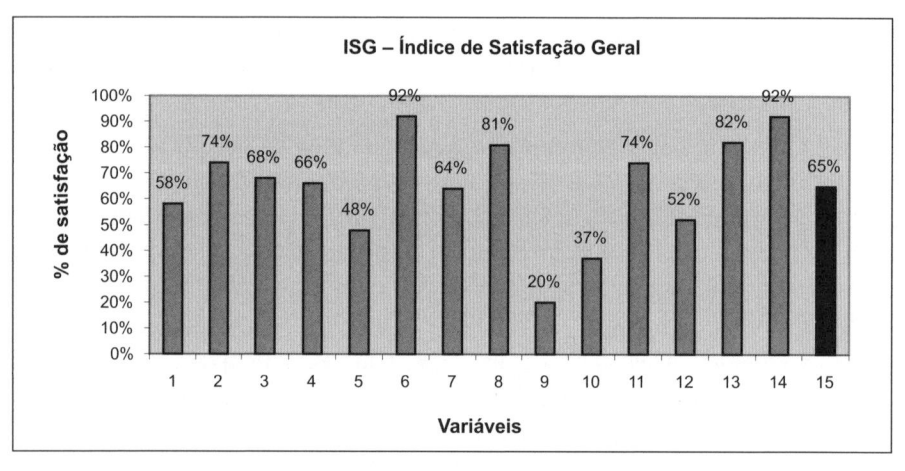

Valorização/Reconhecimento

Perguntas	% de Satisfação
4	40%
6	20%
11	10%
20	30%
30	10%
41	10%
Variável	20%

ISG – Índice de Satisfação Geral

Variáveis	% de satisfação
1	58%
2	74%
3	68%
4	66%
5	48%
6	92%
7	64%
8	81%
9	20%
10	37%
11	74%
12	52%
13	82%
14	92%
15	65%

No gráfico acima verificamos que apenas 37% dos funcionários estão satisfeitos com os gestores. Esta situação é crítica para a condução dos negócios. Vê-se que a empresa necessita priorizar treinamentos aos seus gestores, pois apenas 20% dos funcionários estão satisfeitos com as orientações que recebem sobre o seu trabalho (pergunta 13), somente 10% estão satisfeitos com o reconhecimento que recebem de seus gestores pelos bons trabalhos que realizam (pergunta 18), apenas 10% estão satisfeitos com a receptividade que seus superiores têm em relação às sugestões que lhes são apresentadas pela equipe de trabalho (pergunta 22). Somente uma pequena parcela dos empregados tem ciência do que os gestores esperam do trabalho deles (pergunta 24) e é crítico o grau de satisfação quanto ao reconhecimento dado pelos gestores em relação aos bons trabalhos realizados (pergunta 33).

Ao analisarmos o gráfico da variável Valorização/Reconhecimento, detectamos um baixíssimo grau de satisfação. Os funcionários percebem que o progresso profissional na empresa não se baseia no mérito de cada colaborador (pergunta 11). Os funcionários não se sentem recompensados pelos excelentes desempenhos no trabalho (pergunta 30), assim como não percebem que seus trabalhos sejam valorizados pela empresa (pergunta 41).

Legenda:

Variável Nº	Nome da Variável
1	Salário
2	Benefícios
3	Segurança no Trabalho
4	Desenvolvimento dos RHs
5	Progresso Profissional
6	Integração Interdepartamental
7	Comunicação
8	Trabalho em Equipe
9	Valorização/Reconhecimento
10	Gestão
11	Imagem da Empresa
12	Clareza de Objetivos
13	O Trabalho Realizado
14	Condições Físicas de Trabalho
15	ISG

O gráfico anterior apresenta o resultado geral da pesquisa, indicando um nível de 65% de satisfação. As variáveis que obtiveram os melhores níveis de aprovação por parte dos empregados foram: Integração entre Departamentos (variável 6), Condições Físicas de Trabalho (variável 14), o Trabalho em si (variável 13) e Trabalho em Equipe (variável 8).

A variável que apresentou o resultado mais crítico de toda a pesquisa foi Valorização/Reconhecimento (variável 9), com apenas 20% dos funcionários satisfeitos.

Para que a empresa possa identificar de forma mais clara seus pontos críticos, necessita analisar os resultados dos diferentes tipos de tabulação que a pesquisa oferece. Assim, no exemplo apresentado, seria necessário representar graficamente a tabulação da variável nº 9, Valorização/Reconhecimento, detalhando os resultados dessa variável coletados em cada setor da empresa. Desse modo, seria mais fácil saber onde priorizar as providências a serem adotadas.

Dependendo do assunto que a empresa queira analisar, é necessário levantar as informações tabuladas por turno de trabalho, por tipo de mão-de-obra (operacional ou administrativa), por região, por diretoria, por fábrica ou por escritório. Só assim ela vai dispor de mais informações para analisar melhor os problemas que afetam a qualidade do seu ambiente de trabalho e, conseqüentemente, para tomar melhores decisões sobre intervenções no clima organizacional.

10ª Etapa: Divulgação dos Resultados da Pesquisa

Quem participa de uma pesquisa espera conhecer seus resultados. Por isso, é fundamental que a empresa os divulgue.

- A área de RH deve preparar um relatório geral da pesquisa para entregar à diretoria da empresa. É importante entregar para cada diretor relatórios detalhados, ilustrados e comentados, contendo os resultados de suas respectivas áreas de responsabilidade.

- Antes de divulgar os resultados da pesquisa de clima, é recomendável consultar a direção da empresa sobre o que, eventualmente, não deve ser divulgado. Esse cuidado evita eventuais desgastes do RH, por divulgar sem autorização algumas informações consideradas sensíveis.

- Alguns resultados podem ter sua divulgação censurada pela direção da empresa, em função de sua gravidade. Nesses casos, é recomendável consultar também a direção da empresa sobre a possibilidade de divulgá-los parcialmente.

- Divulgação total ou parcial dos resultados da pesquisa para todos os funcionários, explorando todos os canais de comunicação. Essa providência gera credibilidade para a empresa e favorece a participação dos funcionários nas pesquisas futuras. É conveniente publicar uma edição especial do jornal interno.

- É necessário usar todos os canais de comunicação disponíveis na empresa: mural, e-mail, jornal interno, intranet, reuniões com os funcionários etc.

- É aconselhável publicar uma edição especial do jornal interno, fornecendo flashes dos resultados das principais variáveis pesquisadas.

- É importantíssimo que junto com os resultados da pesquisa seja divulgada alguma decisão da direção da empresa, para melhorar algum pon-

> **ENTRE NESSE CLIMA – BOLETIM ESPECIAL**

> **DIVULGAÇÃO DA PESQUISA DE CLIMA**

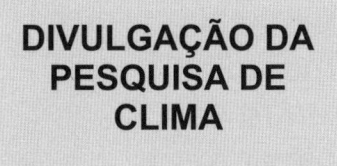

to crítico detectado pela pesquisa. Essa providência também fortalece a credibilidade da pesquisa.

- ⮕ Quanto mais ilustrada for a comunicação da pesquisa, mais bem entendida ela será.
- ⮕ É de bom-tom que a área de RH organize, preliminarmente, uma reunião com os gestores da empresa para anunciar os resultados gerais da pesquisa, antes que eles sejam divulgados para os demais funcionários.
- ⮕ A área de RH deve reunir-se, separadamente, com cada gerente, para apresentar os resultados específicos de suas gerências. Essas reuniões de *feedback* permitem que os resultados de cada gerência possam ser examinados e detectadas as oportunidades de melhoria em seus respectivos ambientes de trabalho.

> A direção da empresa já decidiu: Vai melhorar as instalações do vestiário e intensificar o treinamento dos gestores

> 86% dos funcionários não pensam em sair da empresa nos próximos dois anos

> SATISFAÇÃO GERAL COM A EMPRESA: 74%

Cooperação Entre as Equipes:
63% acham que existe um relacionamento de cooperação entre os departamentos da empresa

Remuneração:
43% estão satisfeitos com os salários que recebem

Benefícios:
86% de satisfação

IMAGEM DA EMPRESA
64% consideram-na positiva

DESENVOLVIMENTO PROFISSIONAL:
51% estão satisfeitos com as oportunidades de desenvolvimento profissional

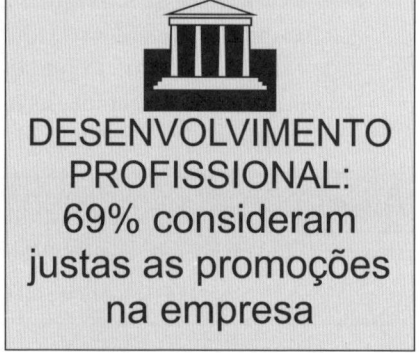

DESENVOLVIMENTO PROFISSIONAL:
69% consideram justas as promoções na empresa

DESENVOLVIMENTO PESSOAL:
52% estão satisfeitos com as oportunidades de treinamento

95% dos nossos funcionários consideram seguras as suas condições de trabalho

| 49% dos funcionários consideram os benefícios como o principal motivo para eles trabalharem na empresa |

| 67% acham que o relacionamento interpessoal na empresa é bom | 71% consideram boas as condições de trabalho |

| GRÊMIO
72% dos funcionários acham que o grêmio deveria organizar mais excursões para eles e seus familiares | 82% dos funcionários estão insatisfeitos com as condições do vestiário |

| Somente 43% demonstram satisfação com as informações que recebem de suas chefias sobre os negócios da empresa |

| Só 23% participam das reuniões que discutem os objetivos e metas dos departamentos |

| Clareza na Comunicação:
• Quadros de Aviso: 93% estão satisfeitos
• Jornal Interno: 65% de aprovação | 82% aprovam a atuação da CIPA |

| BANCO DE HORAS
Somente 17% dos funcionários aprovaram esse novo projeto | Classificação dos Melhores Benefícios:
1º: Alimentação
2º: Grêmio
3º: Assist. Médica
4º: Transporte |

DE CADA DEZ FUNCIONÁRIOS, OITO MANIFESTARAM O DESEJO DE QUE SUAS FAMÍLIAS CONHECESSEM MELHOR A EMPRESA.

| PRECISAMOS MELHORAR!
62% dos funcionários consideram seus chefes do tipo LINHA DURA | PRECISAMOS MELHORAR!
Somente 22% dos funcionários concordam que há envolvimento deles nas tomadas de decisão |

84% dos funcionários indicariam um amigo para trabalhar na empresa

Somente 34% disseram que seus chefes lhes dão *feedback* sobre a performance de seus trabalhos

62% sentem confiança na atuação da diretoria do Sindicato dos Trabalhadores

Fator Desmotivador 22% consideram a falta de reconhecimento como o fator mais desmotivador

91% acham que a empresa age de forma ética com seus parceiros comerciais

Imagem da Empresa
76% dos funcionários acham que a empresa não é suficiente no desenvolvimento de novos produtos/serviços

78% dos funcionários estão satisfeitos com equilíbrio entre o trabalho e a vida pessoal

SEGURANÇA NO EMPREGO
68% sentem-se seguros

Reconhecimento Pelo Trabalho: somente 28% concordam que há reconhecimento pelos trabalhos bem-feitos

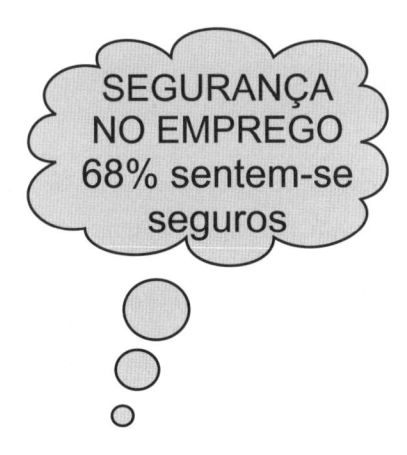

Exemplo de um informativo de divulgação de uma pesquisa de clima:

Leia com atenção. Estes são os resultados da nossa última pesquisa de clima organizacional.

Noventa e dois por cento dos funcionários mostraram o que pensam sobre a empresa e forneceram informações importantes. Agora, vamos atacar os pontos considerados críticos, para melhorarmos o nosso ambiente de trabalho.

Conheça, a seguir, os principais pontos levantados pela pesquisa em 2001.

11ª Etapa: Definição de Planos de Ação

Essa é a etapa mais importante. A pesquisa de clima em si não é um fim, mas sim um meio para a empresa identificar oportunidades de melhorias contínuas no seu ambiente e nas condições de trabalho. Portanto, uma vez identificadas algumas causas que estejam prejudicando a qualidade do ambiente de trabalho, resta à empresa intervir sobre elas.

É recomendável que a área de RH forme e coordene uma comissão de trabalho, composta por representantes das diferentes áreas funcionais, a fim de:

1º) Priorizar as causas a serem enfrentadas;

2º) Discutir e apresentar à direção da empresa planos de ação com as medidas corretivas cabíveis.

É importante que, antes de tabular os dados de uma pesquisa, a direção da empresa defina limites de resultados, abaixo dos quais os resultados possam ser classificados como "críticos" e que, portanto, devam merecer atenção especial.

Por exemplo, uma empresa poderá definir que considera crítico qualquer resultado que apresente menos de 40% de satisfação.

Assim, por hipótese, uma empresa obteve um resultado de 34% de satisfação com relação às instalações do vestiário, 28% de satisfação com relação aos serviços internos de alimentação. Nesses casos, a empresa compromete-se em priorizar a solução desses problemas.

Estrutura Clássica de Uma Pesquisa de Clima

As pesquisas de clima geralmente apresentam as seguintes partes:

- INSTRUÇÕES DE PREENCHIMENTO.
- IDENTIFICAÇÃO DA UNIDADE DO RESPONDENTE.
- QUESTIONÁRIO.
- SUGESTÕES PARA TORNAR A EMPRESA UM LUGAR MELHOR PARA SE TRABALHAR.
- FOLHA DE RESPOSTA.

1ª PARTE: INSTRUÇÕES DE PREENCHIMENTO DE UMA PESQUISA DE CLIMA

Capeando as pesquisas vêm as instruções. Através delas, o respondente é orientado sobre a forma de preenchimento das questões.

Nessa parte do caderno da pesquisa, o respondente vai encontrar as seguintes instruções para responder à pesquisa:

- Objetivo da pesquisa.
- Explicações sobre a codificação das seções.
- Sinceridade nas respostas.
- Participação espontânea.
- Não-identificação do respondente.
- Exemplo de preenchimento de uma questão.
- Instruções sobre preenchimento da folha de resposta.
- Devolução do questionário e da folha de resposta nas urnas.

Exemplo:

I – Instruções de Preenchimento:

Você está recebendo o questionário de **Pesquisa de Clima Organizacional**. Seu preenchimento é muito fácil.

1. Esta pesquisa tem por objetivo conhecer sua opinião sobre diferentes aspectos de nossa empresa. Queremos, com os resultados, melhorar a qualidade do nosso ambiente de trabalho. Por isso, sua participação é muito importante para nós.
2. Não escreva seu nome no formulário.
3. Leia com atenção cada pergunta e use de toda sinceridade ao responder.

4. Assinale com um "X" a resposta que você escolher. Marque apenas uma resposta.

Exemplo: Como você considera a qualidade dos nossos produtos, comparada com a dos nossos concorrentes?

Muito Melhor ( ) Melhor (x) Igual ( ) Pior ( )

5. Você está recebendo, anexa ao caderno de perguntas, uma **Folha de Respostas**. Transfira para essa folha as respostas que você marcou no questionário.

Caso a pergunta não corresponda com a sua situação de trabalho, deixe-a em branco ou assinale a resposta "não tenho opinião".

2ª PARTE: IDENTIFICAÇÃO DA UNIDADE RESPONDENTE

Geralmente, os questionários de pesquisa preservam o anonimato dos respondentes, assegurando maior credibilidade às respostas. Todavia os setores de trabalho, normalmente, são identificados. Essa providência permite tabular os dados coletados, separando-os também por setor. Com isso, é possível identificar os focos, as origens dos problemas, até mesmo as deficiências dos gestores.

- Lotação:

Departamento X ( ) Departamento Y ( ) Departamento Z ( )

- Nível hierárquico:

Gerente ( ) Supervisor ( ) Técnico ( ) Administrativo ( ) Operacional ( )

- Tempo de empresa:

Menos de 1 ano ( ) Mais de 1 a 3 anos ( ) Mais de 3 a 5 anos ( )

Mais de 5 a 10 anos ( ) Mais de 10 anos ( )

- Sexo:

Masculino ( ) Feminino ( )

- Faixa etária:

Até 15 anos ( ) Entre 15 e 18 ( ) Entre 18 e 25 ( )

Entre 25 e 30 ( ) Entre 30 e 40 ( ) Entre 40 e 50 ( )

Mais de 50 ( )

- Turno de Trabalho:

Horário Comercial ( ) 1º Turno ( ) 2º Turno ( ) 3º Turno ( )

3ª PARTE: QUESTIONÁRIO

Essa parte contém as perguntas e suas respectivas opções de resposta.

4ª PARTE: SUGESTÕES PARA TORNAR A EMPRESA UM LUGAR MELHOR PARA SE TRABALHAR

Geralmente, as perguntas utilizadas em uma pesquisa de clima são do tipo perguntas fechadas, não permitindo ao respondente se manifestar livremente em relação às questões apresentadas. Por isso, é comum haver no caderno de respostas um espaço reservado à apresentação de sugestões, críticas ou qualquer comentário que o respondente queira fazer, a fim de melhorar a qualidade do ambiente de trabalho.

5ª PARTE: FOLHA DE RESPOSTAS

É recomendável anexar ao caderno de pesquisa uma folha (ou mais) para que os respondentes apresentem apenas as suas respostas. Nessa Folha de Respostas são apresentadas as opções de respostas para cada uma das perguntas da pesquisa.

Essa parte do caderno de pesquisa facilita o processo de tabulação, já que nessa etapa são manipuladas somente as folhas de respostas, e não todo o caderno de pesquisa.

Exemplo: Transcreva com atenção as opções corretas do caderno de pesquisa para o quadro a seguir:

Questão A B C D E

1. ( )( )( )( )( )   7. ( )( )( )( )( )   13. ( )( )( )( )( )   19. ( )( )( )( )( )
2. ( )( )( )( )( )   8. ( )( )( )( )( )   14. ( )( )( )( )( )   20. ( )( )( )( )( )
3. ( )( )( )( )( )   9. ( )( )( )( )( )   15. ( )( )( )( )( )   21. ( )( )( )( )( )
4. ( )( )( )( )( )   10. ( )( )( )( )( )   16. ( )( )( )( )( )   22. ( )( )( )( )( )
5. ( )( )( )( )( )   11. ( )( )( )( )( )   17. ( )( )( )( )( )   23. ( )( )( )( )( )
6. ( )( )( )( )( )   12. ( )( )( )( )( )   18. ( )( )( )( )( )   24. ( )( )( )( )( )

MODELO DE QUESTIONÁRIO DE PESQUISA DE CLIMA ORGANIZACIONAL

A seguir, é apresentado um rol de perguntas como sugestão para a montagem de um questionário de pesquisa de clima. Para uma mesma variável, como, por exemplo, "salário", são apresentados vários tipos de perguntas. Cabe ao leitor selecionar as mais adequadas à realidade de sua empresa.

I – Instruções de Preenchimento:

1. Não escreva seu nome no formulário.
2. Use de toda a sinceridade ao responder às perguntas.
3. Faça um X na resposta que você escolher.
4. Caso a pergunta não corresponda com a sua situação de trabalho, deixe-a em branco ou assinale a resposta "não tenho opinião".

II - Caderno de Pesquisa de Clima

Ambiente de Trabalho:

1. Os funcionários são tratados com respeito, independentemente dos seus cargos?

    ( ) Sempre ( ) Quase sempre ( ) Raramente ( ) Nunca ( ) Não tenho opinião

2. Considera a empresa um bom lugar para trabalhar?

    ( ) Sim ( ) Não ( ) Não tenho opinião

3. Os funcionários sentem-se seguros em dizer o que pensam?

    ( ) Sempre ( ) Quase sempre ( ) Raramente ( ) Nunca ( ) Não tenho opinião

4. O compromisso da empresa com a qualidade dos seus produtos, serviços e processos está visível no trabalho diário?

( ) Sempre ( ) Quase sempre ( ) Raramente ( ) Nunca ( ) Não tenho opinião

5. A empresa é aberta a receber e reconhecer as opiniões e contribuições de seus funcionários?

( ) Sempre ( ) Quase sempre ( ) Raramente ( ) Nunca ( ) Não tenho opinião

6. A qualidade do trabalho é considerada mais importante do que a sua quantidade?

( ) Sempre ( ) Quase sempre ( ) Raramente ( ) Nunca ( ) Não tenho opinião

7. As pessoas competentes são as que têm as melhores oportunidades na empresa?

( ) Sempre ( ) Quase sempre ( ) Raramente ( ) Nunca ( ) Não tenho opinião

8. A atuação da empresa é guiada por valores éticos?

( ) Sim ( ) Não ( ) Não tenho opinião

9. Você considera a empresa socialmente responsável?

( ) Sim ( ) Não ( ) Não tenho opinião

10. A empresa costuma melhorar os produtos e serviços prestados aos seus clientes?

( ) Sempre ( ) Quase sempre ( ) Raramente ( ) Nunca ( ) Não tenho opinião

11. A empresa está bem preparada tecnologicamente para melhorar seus produtos e serviços?

( ) Sim ( ) Não ( ) Não tenho opinião

12. A empresa atende prontamente às solicitações dos seus clientes?

( ) Sempre ( ) Quase sempre ( ) Raramente ( ) Nunca ( ) Não tenho opinião

13. As orientações que você recebe sobre o seu trabalho são claras e objetivas?

( ) Sempre ( ) Quase sempre ( ) Raramente ( ) Nunca ( ) Não tenho opinião

14. A empresa explica adequadamente aos funcionários o motivo das decisões que ela toma?

( ) Sempre ( ) Quase sempre ( ) Raramente ( ) Nunca ( ) Não tenho opinião

15. Os funcionários se sentem adequadamente informados sobre as decisões que afetam o trabalho deles?

    ( ) Sempre ( ) Quase sempre ( ) Raramente ( ) Nunca ( ) Não tenho opinião

16. Você conhece as prioridades e objetivos da empresa?

    ( ) Sim ( ) Não ( ) Não tenho opinião

17. Existe um relacionamento de cooperação entre os diversos departamentos da empresa?

    ( ) Sim ( ) Não ( ) Não tenho opinião

18. Existe reconhecimento pelos trabalhos bem-feitos pelos funcionários?

    ( ) Sempre ( ) Quase sempre ( ) Raramente ( ) Nunca ( ) Não tenho opinião

19. O seu superior imediato incentiva o trabalho em equipe?

    ( ) Sim ( ) Não ( ) Não tenho opinião

20. O clima de trabalho da minha equipe é bom?

    ( ) Sempre ( ) Quase sempre ( ) Raramente ( ) Nunca ( ) Não tenho opinião

21. O clima de trabalho da empresa é bom?

    ( ) Sempre ( ) Quase sempre ( ) Raramente ( ) Nunca ( ) Não tenho opinião

22. Seu superior imediato é receptivo às sugestões de mudança?

    ( ) Sempre ( ) Quase sempre ( ) Raramente ( ) Nunca ( ) Não tenho opinião

23. Na sua equipe de trabalho, pontos de vista divergentes são debatidos antes de se tomar uma decisão?

    ( ) Sempre ( ) Quase sempre ( ) Raramente ( ) Nunca ( ) Não tenho opinião

24. Você tem uma idéia clara sobre o resultado que o seu superior imediato espera do seu trabalho?

    ( ) Sempre ( ) Quase sempre ( ) Raramente ( ) Nunca ( ) Não tenho opinião

25. Você recebe do seu superior imediato as informações necessárias para a realização do seu trabalho?

    ( ) Sempre ( ) Quase sempre ( ) Raramente ( ) Nunca ( ) Não tenho opinião

26. Você é informado pelo seu superior imediato sobre o que ele acha do seu trabalho?

    ( ) Sempre ( ) Quase sempre ( ) Raramente ( ) Nunca ( ) Não tenho opinião

27. Você participa da definição das metas e dos objetivos relacionados ao seu trabalho?

( ) Sempre ( ) Quase sempre ( ) Raramente ( ) Nunca ( ) Não tenho opinião

28. Você confia nas decisões tomadas pelo seu superior imediato?

( ) Sempre ( ) Quase sempre ( ) Raramente ( ) Nunca ( ) Não tenho opinião

29. Você confia nas decisões tomadas pelos demais gestores da empresa?

( ) Sempre ( ) Quase sempre ( ) Raramente ( ) Nunca ( ) Não tenho opinião

30. Você acredita nas informações transmitidas pelos gestores da empresa aos funcionários?

( ) Sempre ( ) Quase sempre ( ) Raramente ( ) Nunca ( ) Não tenho opinião

31. Os gestores da empresa têm interesse no bem-estar dos funcionários?

( ) Sim ( ) Não ( ) Não tenho opinião

32. Você considera que seu trabalho é avaliado de forma justa pelos seus superiores?

( ) Sempre ( ) Quase sempre ( ) Raramente ( ) Nunca ( ) Não tenho opinião

33. Você recebe o reconhecimento devido quando realiza um bom trabalho?

( ) Sempre ( ) Quase sempre ( ) Raramente ( ) Nunca ( ) Não tenho opinião

34. O seu trabalho lhe dá um sentimento de realização profissional?

( ) Sempre ( ) Quase sempre ( ) Raramente ( ) Nunca ( ) Não tenho opinião

35. Você considera que é sua responsabilidade contribuir para o sucesso da empresa?

( ) Sim ( ) Não ( ) Não tenho opinião

36. Você tem liberdade para fazer o seu trabalho da forma como considera melhor?

( ) Sempre ( ) Quase sempre ( ) Raramente ( ) Nunca ( ) Não tenho opinião

37. Você gostaria de trabalhar em outro departamento da empresa?

( ) Sim ( ) Não

38. Você considera que o seu potencial de realização profissional tem sido adequadamente aproveitado?

( ) Sempre ( ) Quase sempre ( ) Raramente ( ) Nunca ( ) Não tenho opinião

39. O treinamento que você recebe o capacita a fazer bem o seu trabalho?

   ( ) Sempre ( ) Quase sempre ( ) Raramente ( ) Nunca ( ) Não tenho opinião

40. O progresso profissional dos funcionários se dá com base no mérito de cada um deles?

   ( ) Sempre ( ) Quase sempre ( ) Raramente ( ) Nunca ( ) Não tenho opinião

41. Sua remuneração é adequada ao trabalho que você faz?

   ( ) Sim   ( ) Não   ( ) Mais ou menos

42. Você considera seu salário adequado em comparação com o salário recebido por outros funcionários do mesmo nível da sua empresa?

   ( ) Sim   ( ) Não   ( ) Mais ou menos

43. Como você compara o seu salário ao de outras pessoas que executam tarefas semelhantes às suas em outras empresas?

   ( ) Melhor   ( ) Igual   ( ) Pior

44. Os benefícios oferecidos pela empresa atendem às suas necessidades?

   ( ) Sim   ( ) Não   ( ) Mais ou menos

45. A permanência de um funcionário na empresa tem sido definida principalmente pelo seu desempenho?

   ( ) Sempre ( ) Quase sempre ( ) Raramente ( ) Nunca ( ) Não tenho opinião

46. Você indicaria um amigo para trabalhar na sua empresa?

   ( ) Sim   ( ) Não

47. A empresa desfruta de boa imagem entre os funcionários?

Sim	Mais ou Menos		Não	
1	2	3	4	5

48. Os gestores da empresa dão bons exemplos aos seus funcionários?

   ( ) Sempre ( ) Quase sempre ( ) Raramente ( ) Nunca ( ) Não tenho opinião

49. Você acha que a empresa está precisando de inovação para ter sucesso nos seus negócios?

Precisa muito		Precisa um pouco		Não precisa
1	2	3	4	5

50. Você acha que a empresa deveria criar atividades/projetos para se aproximar mais da família de seus funcionários?
    Sim   Indiferente   Não
    1   2   3   4   5

51. O tratamento recebido pelas pessoas na empresa depende do setor em que elas trabalham.
    Concordo   Indiferente   Discordo
    1   2   3   4   5

52. Você se considera respeitado pelo seu superior imediato?
    ( ) Sempre ( ) Quase sempre ( ) Raramente ( ) Nunca ( ) Não tenho opinião

53. Você tem idéia de quanto os seus benefícios representam em relação ao seu salário?
    ( ) Sim ( ) Não

54. Você se sente bem informado sobre os benefícios da empresa?
    ( ) Sim ( ) Não ( ) Mais ou menos

55. Como você considera o relacionamento entre os funcionários do seu setor?
    Excelente   Regular   Péssimo
    1   2   3   4   5

56. O tratamento recebido pelos funcionários da empresa depende do cargo que eles ocupam?
    ( ) Sim ( ) Não

57. Os funcionários do seu setor sentem-se seguros no emprego?
    ( ) Sim ( ) Não ( ) Mais ou menos

58. O número de funcionários do seu setor de trabalho é:
    Menor do que   O necessário   Maior do que
    o necessário   o necessário
    1   2   3   4   5

59. O seu chefe exerce pressão sobre seu ritmo de trabalho?
    ( ) Sim   ( ) Não   ( ) Mais ou menos

60. O seu salário satisfaz às suas necessidades básicas de vida?
    ( ) Sim ( ) Não ( ) Em parte

61. A atual diretoria do sindicato merece a confiança dos funcionários da empresa?

( ) Sim ( ) Não ( ) Em parte ( ) Não tenho opinião

62. Como você avalia seu superior imediato quanto à representação da sua equipe perante os escalões superiores?

( ) Muito bem ( ) Razoável ( ) Muito mal

63. Como você avalia seu superior imediato quanto à motivação dos subordinados?

( ) Muito bem ( ) Razoável ( ) Muito mal

64. Até que ponto a empresa cumpre as promessas oficialmente feitas aos funcionários?

( ) Sempre ( ) Quase sempre ( ) Raramente ( ) Nunca ( ) Não tenho opinião

65. Seu superior transmite a você e aos seus colegas as informações que vocês precisam conhecer?

( ) Sempre ( ) Quase sempre ( ) Nunca

66. Como a direção da empresa se comunica com os funcionários a respeito das informações de interesse geral?

( ) Adequadamente ( ) Razoavelmente ( ) Inadequadamente

67. Os funcionários têm oportunidade de dizer aos seus superiores hierárquicos o que eles pensam da empresa ou do seu trabalho?

( ) Sim ( ) Não ( ) Mais ou menos

68. Você considera o seu superior hierárquico um bom líder?

( ) Sim ( ) Não ( ) Mais ou menos

69. Você considera o seu superior hierárquico bom profissionalmente?

( ) Sim ( ) Não ( ) Mais ou menos

70. Você se sente à vontade para falar abertamente a respeito de trabalho com o seu superior imediato?

( ) Sempre ( ) Quase sempre ( ) Raramente ( ) Nunca

71. O seu superior imediato reconhece os bons resultados alcançados por você no seu trabalho?

( ) Sempre ( ) Quase sempre ( ) Raramente ( ) Nunca

72. O trabalho em equipe é incentivado pela empresa?

( ) Sempre ( ) Quase sempre ( ) Raramente ( ) Nunca ( ) Não tenho opinião

73. Você vê possibilidade de crescimento de carreira, a curto ou médio prazo, na empresa?

( ) Sim ( ) Não ( ) Alguma possibilidade

74. Você se sente informado a respeito dos reajustes/aumentos salariais praticados pela empresa?

( ) Sim ( ) Não ( ) Mais ou menos

75. Os treinamentos que a empresa costuma oferecer atendem às necessidades prioritárias do seu setor?

( ) Sim ( ) Não ( ) Mais ou menos

76. Você participa juntamente com o seu superior imediato das decisões que afetam seu trabalho?

( ) Sempre ( ) Quase sempre ( ) Raramente ( ) Nunca ( ) Não tenho opinião

77. Seu superior imediato costuma discutir os resultados da sua avaliação de desempenho com você?

( ) Sempre ( ) Às vezes ( ) Nunca

78. Você sabe quais são os resultados que o seu superior imediato espera do seu trabalho?

( ) Sim ( ) Não ( ) Mais ou menos

79. Você acha que os superiores são receptivos às críticas dos seus subordinados?

( ) Sempre ( ) Quase sempre ( ) Raramente ( ) Nunca

80. Você se considera bem informado sobre o que se passa na empresa?

( ) Sim ( ) Não ( ) Mais ou menos

81. Você se sente bem informado sobre os planos futuros da empresa?

( ) Sim ( ) Não ( ) Mais ou Menos

82. As condições físicas de trabalho na empresa são satisfatórias (ruído, temperatura, higiene, mobiliário etc.)?

( ) Sim ( ) Não ( ) Mais ou menos

83. A empresa oferece oportunidades para o seu desenvolvimento e crescimento profissional?
( ) Sempre ( ) Quase sempre ( ) Raramente ( ) Nunca ( ) Não tenho opinião

84. A empresa tem um bom processo para selecionar internamente seus empregados para preencher suas vagas?
( ) Sim   ( ) Não   ( ) Mais ou menos

85. Você considera bom o processo da empresa de selecionar profissionais do mercado?
( ) Sim   ( ) Não   ( ) Mais ou menos

86. Você acha que há favorecimentos ou privilégios no processo de seleção de profissionais do mercado?
( ) Sim   ( ) Não   ( ) Mais ou menos

87. Você considera justas as decisões tomadas pela diretoria em relação aos funcionários da empresa?
( ) Sempre ( ) Quase sempre ( ) Raramente ( ) Nunca ( ) Não tenho opinião

88. Você se sente satisfeito em relação ao volume de trabalho que realiza?
( ) Sim   ( ) Não   ( ) Mais ou menos

89. Você se sente seguro no emprego?
( ) Sim   ( ) Não   ( ) Mais ou menos

90. Você se sente satisfeito em relação ao seu salário?

Muito satisfeito	Satisfeito	Mais ou menos	Insatisfeito	Muito insatisfeito
( ) 1	( ) 2	( ) 3	( ) 4	( ) 5

91. Você está satisfeito por trabalhar na empresa?

Muito satisfeito	Satisfeito	Mais ou menos	Insatisfeito	Muito insatisfeito
( ) 1	( ) 2	( ) 3	( ) 4	( ) 5

92. Seu superior imediato trata a satisfação do cliente interno/externo como prioridade máxima?
( ) Sempre ( ) Quase sempre ( ) Raramente ( ) Nunca ( ) Não tenho opinião

93. Você entende como seu trabalho contribui para atingir seus objetivos na empresa?
( ) Sim   ( ) Não   ( ) Mais ou menos

94. A empresa permite que o seu trabalho não prejudique os seus interesses pessoais ou familiares?

( ) Sempre ( ) Quase sempre ( ) Raramente ( ) Nunca ( ) Não tenho opinião

95. Você tem liberdade para tomar decisões no seu trabalho?

( ) Sempre ( ) Quase sempre ( ) Raramente ( ) Nunca ( ) Não tenho opinião

96. Seu chefe transfere decisões para a sua equipe de trabalho?

( ) Sempre ( ) Quase sempre ( ) Raramente ( ) Nunca ( ) Não tenho opinião

97. Seus colegas de setor de trabalho procuram formas de melhorar a qualidade e a produtividade do trabalho?

( ) Sempre ( ) Quase sempre ( ) Raramente ( ) Nunca ( ) Não tenho opinião

98. Seu chefe está sempre disponível quando você precisa dele?

( ) Sempre ( ) Quase sempre ( ) Raramente ( ) Nunca ( ) Não tenho opinião

99. Seu superior imediato apóia sua participação em programas de treinamento?

( ) Sempre ( ) Quase sempre ( ) Raramente ( ) Nunca ( ) Não tenho opinião

100. A empresa dá condições de treinamento/desenvolvimento para que você tenha um aprendizado contínuo?

( ) Sempre ( ) Quase sempre ( ) Raramente ( ) Nunca

101. Você acha que a empresa é eficiente no desenvolvimento de novos produtos ou serviços?

( ) Sim ( ) Não ( ) Mais ou menos

102. Você gosta do trabalho que faz?

( ) Sim ( ) Não ( ) Mais ou menos

103. Você acha que os funcionários se orgulham do desempenho da empresa?

( ) Sim ( ) Não ( ) Mais ou menos

104. A direção da empresa está comprometida em melhorar a segurança dos funcionários no local de trabalho?

( ) Sim ( ) Não ( ) Mais ou menos

105. Você tem liberdade suficiente para fazer o que é necessário para proporcionar um bom serviço ao cliente?

( ) Sempre ( ) Quase sempre ( ) Raramente ( ) Nunca ( ) Não tenho opinião

106. Seu superior hierárquico estimula o trabalho em equipe?

( ) Sempre ( ) Quase sempre ( ) Raramente ( ) Nunca ( ) Não tenho opinião

107. Você acha que a empresa age eticamente nas suas decisões?

( ) Sempre ( ) Quase sempre ( ) Raramente ( ) Nunca ( ) Não tenho opinião

108. A empresa recompensa os desempenhos excelentes de seus funcionários?

( ) Sempre ( ) Quase sempre ( ) Raramente ( ) Nunca ( ) Não tenho opinião

109. Você gostaria que a sua família conhecesse melhor a empresa?

( ) Sim ( ) Não

110. Os equipamentos de segurança da empresa são adequados para proteger os funcionários no trabalho.

( ) Concordo ( ) Discordo em parte ( ) Discordo

111. As decisões tomadas pelo seu chefe no dia-a-dia são corretas?

( ) Sempre ( ) Quase sempre ( ) Raramente ( ) Nunca ( ) Não tenho opinião

112. No seu setor de trabalho há algum funcionário "protegido" pelo seu chefe?

( ) Sim ( ) Não

113. O sindicato tem ajudado a melhorar as condições de trabalho da sua categoria?

( ) Sempre ( ) Quase sempre ( ) Raramente ( ) Nunca ( ) Não tenho opinião

114. Seu chefe informa sobre os fatos importantes que estão acontecendo na empresa?

( ) Sempre ( ) Quase sempre ( ) Raramente ( ) Nunca ( ) Não tenho opinião

115. Como você se imagina daqui a dois anos?

( ) Trabalhando na empresa, no mesmo cargo.
( ) Trabalhando na empresa, num cargo melhor.
( ) Trabalhando em outra empresa, no mesmo cargo.
( ) Trabalhando em outra empresa, num cargo melhor.
( ) Trabalhando por conta própria.
( ) Sem opinião.

116. Onde você encontra as informações que deseja saber sobre a empresa? Assinale a principal alternativa.

   ( ) Conversas nos corredores ( ) Quadros de aviso ( ) Colegas de trabalho
   ( ) Jornal interno   ( ) Superior imediato ( ) Circulares internas
   ( ) Na imprensa   ( ) Através de Recursos Humanos

117. Onde geralmente você resolve os problemas do trabalho que lhe afetam?

   ( ) No sindicato ( ) Com o meu superior imediato
   ( ) Com o Departamento Pessoal ( ) Com os colegas de trabalho

118. Você conhece os descontos que são lançados no seu contracheque?

   ( ) Sim   ( ) Não

119. A empresa poderia melhorar se: Assinale a principal alternativa.

   ( ) Pagasse melhores salários.
   ( ) Proporcionasse mais estabilidade no emprego.
   ( ) Tratasse melhor os funcionários.
   ( ) Proporcionasse mais oportunidades de crescimento.
   ( ) Desse mais treinamentos.
   ( ) Oferecesse mais benefícios.

120. Como considera o trabalho que você faz na empresa? Assinale a principal alternativa.

   ( ) Muito importante
   ( ) Importante
   ( ) Mais ou menos
   ( ) Desinteressante

121. Você considera suficiente o treinamento dado pela empresa?

   ( ) Sim ( ) Não ( ) Mais ou Menos ( ) Não tenho opinião

122. Numa escala de 1 a 10, como você classificaria a imagem da empresa perante os funcionários?

   Péssima   Regular   Boa   Ótima
   1   2   3   4   5   6   7   8   9   10

123. Você acha que seu chefe avalia seu trabalho de forma justa?

   ( ) Sempre ( ) Quase sempre ( ) Raramente ( ) Nunca ( ) Não tenho opinião

ASPECTOS PRÁTICOS SOBRE CLIMA ORGANIZACIONAL

124. A empresa normalmente cumpre as promessas feitas aos seus funcionários?

    ( ) Sempre ( ) Quase sempre ( ) Raramente ( ) Nunca ( ) Não tenho opinião

125. Ao realizar o seu trabalho, você procura obter resultados melhores do que aqueles esperados pela empresa?

    ( ) Sempre ( ) Quase sempre ( ) Raramente ( ) Nunca ( ) Não tenho opinião

126. Indique as duas principais razões pelas quais você trabalha na empresa. Coloque número 1 na principal e número 2 na segunda mais importante.

    ( ) Salário
    ( ) Estabilidade no emprego
    ( ) O trabalho que realizo
    ( ) Ambiente de trabalho
    ( ) Autonomia no trabalho
    ( ) Reconhecimento
    ( ) Benefícios oferecidos pela empresa
    ( ) Relacionamento com a chefia
    ( ) A falta de opção de um outro emprego
    ( ) Prestígio da empresa
    ( ) Possibilidade de treinamento
    ( ) As chances de progresso profissional

127. Seu salário é suficiente para atender às suas necessidades básicas?

    Não   Mais   Sim
                          ou menos
    0   1   2   3   4   5   6   7   8   9   10

128. Você se sente apto para assumir maiores responsabilidades do que as que tem atualmente?

    ( ) Sim   ( ) Não   ( ) Mais ou menos

129. Você acha que o trabalho realizado atualmente no seu setor poderia ser melhorado?

    Não   Mais   Muito
                          ou menos
    0   1   2   3   4   5   6   7   8   9   10

130. Você se sente satisfeito trabalhando na empresa levando em consideração tudo o que ela lhe oferece?

    Nada satisfeito   Mais ou menos   Muito satisfeito
    0   1   2   3   4   5   6   7   8   9   10

131. De modo geral, como você classifica a empresa em relação ao que ela era quando você começou a trabalhar aqui?

    ( ) Melhor do que antes   ( ) Igual   ( ) Pior do que antes

132. Seu horário de trabalho causa transtornos na sua vida pessoal?
( ) Sim   ( ) Não   ( ) Não tenho opinião

133. As condições ambientais do seu local de trabalho são satisfatórias?
Temperatura   ( ) Sim   ( ) Não
Espaço   ( ) Sim   ( ) Não
Mobiliário   ( ) Sim   ( ) Não
Higiene   ( ) Sim   ( ) Não
Instalações sanitárias ( ) Sim   ( ) Não

134. Indique os dois principais fatores que geram mais insatisfação no seu trabalho
Coloque número 1 no fator que gera mais insatisfação e número 2 no segundo maior fator de insatisfação.
( ) Falta de reconhecimento   ( ) Falta de segurança no emprego
( ) Salário   ( ) Falta de autonomia
( ) Ambiente de trabalho ruim   ( ) Falta de recursos
( ) O trabalho que realizo   ( ) Relacionamento com a chefia
( ) Falta de treinamento   ( ) Sobrecarga de trabalho
( ) Instalações inadequadas   ( ) Falta de valorização
    (banheiros, vestiários etc.)   dos funcionários
( ) Impossibilidade de crescimento
    profissional
( ) Outros

_____
_____
_____
_____

Que sugestões você daria para tornar a empresa um lugar melhor para se trabalhar?
_____
_____
_____
_____

Benefícios:

ALIMENTAÇÃO:

135. Você utiliza o refeitório da empresa para:
( ) Almoçar e lanchar   ( ) Só lanchar   ( ) Não utilizo

136. O lanche servido no refeitório é:
( ) Ótimo ( ) Bom ( ) Regular ( ) Ruim

137. O almoço você considera:
( ) Ótimo ( ) Bom ( ) Regular ( ) Ruim

138. O atendimento no refeitório é:
( ) Ótimo ( ) Bom ( ) Regular ( ) Ruim

139. O preço que os funcionários pagam pela refeição é:
( ) Ótimo ( ) Bom ( ) Razoável ( ) Alto

140. As instalações do refeitório (tamanho, ventilação, iluminação etc.) são:
( ) Ótimas ( ) Boas ( ) Regulares ( ) Ruins

141. A higiene na preparação das refeições é:
( ) Ótima ( ) Boa ( ) Regular ( ) Ruim

142. A higiene dos utensílios, talheres etc. é:
( ) Ótima ( ) Boa ( ) Regular ( ) Ruim

143. O horário das refeições é adequado?
( ) Sim ( ) Não

TRANSPORTE:

144. Como você vem para o trabalho?
 ( ) Em ônibus de linha comum
 ( ) De carro
 ( ) De bicicleta
 ( ) De trem
 ( ) De metrô
 ( ) De barca
 ( ) De carona
 ( ) A pé

145. Como você avalia o atendimento do ônibus especial da empresa:
 ( ) Ótimo
 ( ) Bom
 ( ) Anda superlotado
 ( ) Não pára nos pontos

( ) Não cumpre os horários
( ) Há desentendimentos entre os colegas e motoristas
( ) O trajeto deveria ser modificado
( ) Passa muito longe de minha casa

146. Quanto ao preço da passagem do ônibus da empresa, você acha que está:

( ) Ótimo   ( ) Bom   ( ) Razoável   ( ) Alto

ASSOCIAÇÃO RECREATIVA E DESPORTIVA:

147. Quais as promoções ou festas que você mais gosta?
Marque com o número 1 a que você mais gosta e com o número 2 a segunda que você mais gosta.

( ) Excursões
( ) Festa de Natal
( ) Festa junina
( ) Festa pelo Dia do Trabalho
( ) Festa das crianças
( ) Bailes

Outras:

_____
_____

148. Você prefere as festas quando elas são:

( ) Só para os funcionários
( ) Com direito a levar um acompanhante
( ) Com a família acompanhando o funcionário

149. A mensalidade cobrada pela Associação é:

( ) Boa   ( ) Razoável   ( ) Cara

150. Você está satisfeito com a Associação?

( ) Muito satisfeito ( ) Satisfeito ( ) Descontente ( ) Muito descontente

SERVIÇO DE SAÚDE:

151. O atendimento dos médicos da empresa é:

( ) Bom   ( ) Regular   ( ) Ruim   ( ) Nunca utilizei

152. O atendimento dos dentistas é:

( ) Bom ( ) Regular ( ) Ruim ( ) Nunca utilizei

O atendimento da enfermagem é:

( ) Bom ( ) Regular ( ) Ruim ( ) Nunca utilizei

SEGURO DE VIDA EM GRUPO:

153. Você está satisfeito com esse benefício?

( ) Sim ( ) Não

154. As coberturas do seguro são adequadas às suas necessidades?

( ) Sim ( ) Não

155. Você concordaria em pagar por uma diferença maior na cobertura do seu Seguro de Vida em Grupo?

( ) Sim ( ) Não

JORNAL INTERNO:

156. Que assuntos você mais gosta de ler no jornal da empresa? Coloque número 1 na alternativa mais importante e número 2 na segunda mais importante.

( ) Humor
( ) Fofocas
( ) Segurança
( ) Informações gerais
( ) Promoções da Associação
( ) Cultura
( ) Esportes
( ) Atualidades em geral
( ) Sociais
( ) Informações sobre a empresa

157. Você lê o jornal quando o recebe?

( ) Sim ( ) Não

158. Você leva o jornal para a sua casa?

( ) Sim ( ) Não

159. Você recebe o jornal todos os meses?

( ) Sim ( ) Não

PRÊMIO DE FREQÜÊNCIA:

160. Você está satisfeito com o Prêmio mensal?

( ) Sim ( ) Não ( ) Mais ou menos

161. O prêmio incentiva os funcionários a não faltarem ao trabalho?

( ) Sim ( ) Não ( ) Mais ou menos

AUXÍLIO-EDUCAÇÃO:

162. Você está satisfeito com esse benefício?

( ) Sim ( ) Não ( ) Mais ou menos

POSTO BANCÁRIO:

163. Como você avalia o atendimento:

( ) Muito bom ( ) Bom ( ) Razoável ( ) Ruim

LOJINHA (venda de produtos da empresa para os funcionários):

164. O atendimento na lojinha é:

( ) Muito bom ( ) Bom ( ) Razoável ( ) Ruim

165. O preço dos produtos é:

( ) Muito bom ( ) Bom ( ) Razoável ( ) Ruim

166. A variedade dos produtos é:

( ) Muito boa
( ) Boa
( ) Razoável
( ) Ruim

167. Deveria haver limites para a compra de produtos?

( ) Sim ( ) Não

SUPERMERCADO:

168. Você gostaria que a empresa tivesse convênio com outro supermercado?

( ) Sim

Com qual deles?

( ) Não

_____
_____
_____

CONVÊNIOS:

169. Você está satisfeito com os seguintes convênios?

Farmácia	Sim ( )	Mais ou menos ( )	Não ( )
Supermercado	Sim ( )	Mais ou menos ( )	Não ( )
Papelaria	Sim ( )	Mais ou menos ( )	Não ( )
Ótica	Sim ( )	Mais ou menos ( )	Não ( )
Videolocadora	Sim ( )	Mais ou menos( )	Não ( )

170. De 0 a 10, que nota você daria aos seguintes serviços/benefícios?
  ( ) Assistência médico-hospitalar (plano de saúde).
  ( ) Assistência médica ambulatorial.
  ( ) Transporte (ônibus especial).
  ( ) Seguro de vida.
  ( ) Posto bancário.
  ( ) Lojinha.
  ( ) Cesta básica.
  ( ) Tíquete-refeição.
  ( ) Tíquete-alimentação (para compras em supermercado).
  ( ) Assistência odontológica.
  ( ) Grêmio.
  ( ) Cooperativa de consumo.
  ( ) Cooperativa de crédito.
  ( ) Previdência privada.
  ( ) Venda interna de produtos da empresa.
  ( ) Jornal de circulação interna.
  ( ) Convênios.

RECOMENDAÇÕES IMPORTANTES

Neste caderno de pesquisa são apresentadas 170 perguntas, que poderiam ser reduzidas, já que são repetidas sobre um determinado tema, com redações diferentes, para que o leitor possa escolher aquelas que melhor lhe pareça.

Existe um número ideal de perguntas em uma pesquisa de clima?

O número não pode ser excessivo, para não induzir o respondente à prática de, depois de algum tempo, assinalar qualquer resposta, apenas para preencher um questionário.

O importante é que o número de perguntas sobre uma determinada variável possa ser suficiente para "cobrir" o assunto pesquisado. Por exemplo, se estamos pesquisando a variável "gestores" e se optarmos apenas por duas ou três perguntas, certamente que não obteremos informações suficientes para avaliarmos o grau de satisfação das pessoas de uma organização, com relação aos diferentes aspectos que envolvem a relação chefe X subordinado.

Na prática, percebemos que utilizando entre 50 e 80 perguntas conseguimos montar uma boa pesquisa. Todavia tudo vai depender das particularidades de cada empresa, dos assuntos que ela julgue importante pesquisar.

Outro aspecto importante na construção de um questionário de pesquisa refere-se às opções de resposta. Algumas pesquisas utilizam uma forma-padrão de respostas do começo ao fim. Ao invés de perguntas, o questionário utiliza afirmações. Nessas pesquisas, todas as opções de resposta são do tipo:

A

1 2 3 4 5

Quanto mais perto de 1 a pessoa responder na escala, maior será o seu grau de concordância com a afirmação, e quanto mais perto de 5, maior será sua discordância.

Exemplo:
O meu superior imediato reconhece os bons resultados alcançados por mim no meu trabalho.

1 ( ) 2 ( ) 3 ( ) 4 ( ) 5 ( )

B

1 (quase nada) 2 (muito pouco) 3 (até certo ponto) 4 (muito) 5 (muitíssimo)
Exemplo:
Gosto do trabalho que faço
1 ( ) 2 ( ) 3 ( ) 4 ( ) 5 ( )

C

1 (concordo) 2 (concordo em parte) 3 (discordo)

Exemplo:
Minhas sugestões são levadas em consideração pelo meu superior hierárquico.
1 ( ) 2 ( ) 3 ( )

D

1 (concordo plenamente) 2 (concordo) 3 (discordo) 4 (discordo totalmente)

Exemplo:
Minhas sugestões são levadas em consideração pelo meu superior hierárquico.
1 ( ) 2 ( ) 3 ( ) 4 ( )

E

1 (sempre) 2 (às vezes) 3 (raramente) 4 (nunca)

Exemplo:
Minhas sugestões são levadas em consideração pelo meu superior hierárquico.
1 ( ) 2 ( ) 3 ( ) 4 ( )

F

1 (discordo totalmente) 2 ( ) 3 ( ) 4 ( ) 5 (concordo totalmente)

Exemplo:
Minhas sugestões são levadas em consideração pelo meu superior hierárquico.
1 ( ) 2 ( ) 3 ( ) 4 ( ) 5 ( )

G

1 (muito insatisfeito) 2 (insatisfeito) 3 (nem insatisfeito nem satisfeito)
4 (satisfeito) 5 (muito satisfeito)

As opções de resposta do tipo "sim" ou "não" apresentam uma falha. Elas não permitem à empresa, na hora de tabular as respostas, graduar a intensidade de satisfação ou insatisfação de quem está respondendo, com relação a um determinado assunto pesquisado.

Exemplo:
Você gosta do seu superior imediato?
Sim ( ) Não ( )

A interpretação da resposta "sim" dá a impressão de que o respondente gosta de forma absoluta do seu gestor, quando isso pode não corresponder à verdade. Pela falta de uma opção melhor, o funcionário acaba optando pelo "sim" ou pelo "não".

As respostas em forma de escala permitem a quem está respondendo graduar, manifestar de forma mais precisa seu sentimento, sua opinião quanto a uma determinada questão.

Sendo assim, é recomendável que as opções de resposta sejam preferencialmente na forma de escala.

PERGUNTAS QUE NÃO PODEM FALTAR NUMA PESQUISA DE CLIMA ORGANIZACIONAL

Algumas perguntas são essenciais em uma pesquisa de clima, em função da contundência de seus teores. Suas respostas têm um peso extraordinário, devem ser analisadas isoladamente. Por isso, em quase todas as pesquisas nós as encontramos, em função de sua importância. São elas:

➲ De modo geral, você está satisfeito em trabalhar na empresa?

Essa pergunta, além de revelar um grau geral de satisfação dos funcionários para com a empresa, serve também para avaliar a abrangência do instrumento da pesquisa.

➲ Como você se imagina daqui a dois anos?

( ) Trabalhando na empresa, no mesmo cargo.
( ) Trabalhando na empresa, num cargo melhor.
( ) Trabalhando em outra empresa, no mesmo cargo.
( ) Trabalhando em outra empresa, num cargo melhor.
( ) Trabalhando por conta própria.
( ) Sem opinião.

Se muitos empregados respondem que gostariam de estar trabalhando em outra empresa, isso por si só já revela uma grande preocupação para a empresa.

➲ Como você considera a empresa atualmente, em relação a quando você começou a trabalhar nela?

➲ Você considera a empresa um bom lugar para trabalhar?

➲ Indique duas principais razões pelas quais você trabalha na empresa.

➲ Indique os dois principais fatores que mais geram insatisfação no seu trabalho.

- Você indicaria um parente ou amigo para trabalhar na empresa?
    ( ) Sim ( ) Não
    Essa pergunta também é muito "forte". Sua resposta é muito conclusiva.
- A empresa desfruta de boa imagem entre os funcionários?
    Sim   Mais   Não
                ou Menos
    1   2   3   4   5
- Você está satisfeito de trabalhar na empresa?
    Muito   Satisfeito   Mais ou   Insatisfeito   Muito
    satisfeito   menos   insatisfeito
    1   2   3   4   5
- Numa escala de 1 a 10, como você classificaria a imagem da empresa perante os funcionários?
    Péssima   Regular   Boa   Ótima
    1   2   3   4   5   6   7   8   9   10
- Indique as duas principais razões pelas quais você trabalha na empresa. Coloque número 1 na principal e número 2 na segunda mais importante.

    ( ) Salário
    ( ) Estabilidade no emprego
    ( ) O trabalho que realizo
    ( ) Ambiente de trabalho
    ( ) Autonomia no trabalho
    ( ) Reconhecimento

    ( ) Benefícios oferecidos pela empresa
    ( ) Relacionamento com a chefia
    ( ) A falta de opção de um outro emprego
    ( ) Prestígio da empresa
    ( ) Possibilidade de treinamento
    ( ) As chances de progresso profissional

- De modo geral, como você classifica a empresa em relação ao que ela era quando você começou a trabalhar aqui?

    ( ) Melhor do que antes   ( ) Igual   ( ) Pior do que antes

- Indique os dois principais fatores que geram mais insatisfação no seu trabalho. Coloque número 1 no fator que gera mais insatisfação e número 2 no segundo maior fator de insatisfação.

    ( ) Falta de reconhecimento.
    ( ) Salário.
    ( ) Ambiente de trabalho ruim.
    ( ) O trabalho que realizo.
    ( ) Falta de treinamento.
    ( ) Instalações inadequadas
        (banheiros, vestiários etc.).

    ( ) Falta de segurança no emprego.
    ( ) Falta de autonomia.
    ( ) Falta de recursos.
    ( ) Relacionamento com a chefia.
    ( ) Sobrecarga de trabalho.

( ) Impossibilidade de crescimento profissional.
( ) Falta de valorização dos funcionários.
( ) Outros:

_____
_____
_____
_____
_____

➲ De 0 a 10, que nota você daria aos seguintes serviços/benefícios?
( ) Assistência médico-hospitalar (plano de saúde).
( ) Assistência médica ambulatorial.
( ) Transporte (ônibus especial).
( ) Seguro de vida.
( ) Posto bancário.
( ) Cesta básica.
( ) Tíquete-refeição.
( ) Tíquete-alimentação (para compras em supermercado).
( ) Assistência odontológica.
( ) Grêmio.
( ) Cooperativa de consumo.
( ) Cooperativa de crédito.
( ) Previdência privada.
( ) Venda interna de produtos da empresa.
( ) Jornal de circulação interna.
( ) Convênios.

➲ Que sugestões você daria para tornar a empresa um lugar melhor para se trabalhar?

_____
_____
_____
_____
_____
_____

A PESQUISA SOCIOECONÔMICA COMO COMPLEMENTO À PESQUISA DE CLIMA

O clima organizacional reflete o estado de ânimo ou o grau de satisfação dos funcionários de uma empresa em um dado momento. Esse grau de satisfação decorre tanto da situação profissional quanto da situação social dos funcionários, ou seja, da realidade vivida por esses funcionários fora da empresa.

Numa empresa podemos ter pessoas infelizes, desmotivadas por razões profissionais ou porque elas possuem uma situação familiar ou social adversa. Se a empresa possui uma quantidade de funcionários infelizes por razões pessoais, conseqüentemente isso vai refletir na sua produtividade e no bem-estar desses colaboradores.

Logo, é essencial que as empresas conheçam a realidade extratrabalho de seus funcionários. É necessário que saibam sob que condições vivem seus colaboradores. Imaginem o sofrimento de um funcionário que convive com um problema crônico de saúde na família. Imaginem o estado emocional de pessoas que vivem o drama de uma separação conjugal. Imaginem pessoas que no fim do mês não têm o que comer ou o que levar para a mesa de seus filhos.

Para conhecer essa realidade e nela intervir no que for possível, a empresa deve realizar uma pesquisa que complemente a de clima organizacional. Trata-se da Pesquisa Sócioeconômica. Através dela, a empresa pode conhecer onde seus funcionários moram, como moram, como vivem, com quem vivem, que problemas enfrentam, quanto tempo gastam para chegar na empresa e voltar para casa, qual é a renda familiar, que problemas enfrentam fora do trabalho.

Quando realizado sistematicamente, esse tipo de pesquisa permite também quantificar a prosperidade material dos recursos humanos, através da comparação com os resultados das pesquisas anteriores.

Para as empresas que pregam a valorização dos seus recursos humanos, nada melhor do que monitorar o grau de prosperidade deles, pois só assim conhecerão os seus problemas, as suas necessidades e também saberão se eles estão realmente "crescendo" junto com a empresa.

A seguir, um modelo de pesquisa da realidade socioeconômica:

I - DADOS PESSOAIS

Sexo:
masculino .... ( )
feminino .... ( )

Idade:
.... anos

Estado Civil:
Solteiro .... ( )
Casado .... ( )
Viúvo .... ( )
Desquitado/divorciado .... ( )
Amasiado .... ( )

Salário Atual:
R$ ....,00

Cargo Atual:
Produção .... ( )
Administração .... ( )
Chefia .... ( )

Religião:
Católica .... ( )
Espírita .... ( )
Protestante .... ( )
Outra .... ( )

Em que cidade você nasceu?
Cidade:
Estado:

Em que país você nasceu?
....

Em que cidade você viveu a maior parte de sua vida?
Cidade:
Estado:

Você veio de outra cidade?
Sim ( ) Qual?
Estado:

II – FAMÍLIA

1. Você possui filhos?
    Sim ( ) Quantos?..........filhos, sendo............... maiores e.......... menores
    Não ( )

2. Quantos filhos residem com você?
    ....

3. Você possui outros dependentes?
   Sim ( ) Quantos?..........
   Não ( )

4. Quando você está trabalhando, com quem ficam os seus filhos "menores"?

Com meus pais	( )
Na creche	( )
Sozinhos	( )
Com meus parentes	( )
Com a empregada	( )
Com meu filho mais velho	( ) de que idade?........ anos
Com vizinhos	( )
Outro	( )..

5. Se seus filhos ficam na creche, qual é a sua despesa mensal para mantê-los lá?
   R$.....................,00

6. Se você paga para alguém ficar cuidando de seus filhos, enquanto você trabalha, qual é a sua despesa mensal para mantê-los lá?
   R$.....................,00

7. Seu cônjuge (esposo ou esposa) trabalha?
   Sim ( ) No momento ele está trabalhando? Sim ( ) Não ( )
   Não ( )

8. Seus filhos trabalham?
   Sim ( )
   Não ( )

9. Qual a idade dos seus filhos que trabalham?
   ....anos,........anos,........anos,........anos,........anos,........anos,........anos.

10. Das pessoas que residem com você, quantas contribuem nas despesas da casa?
    ....

11. Qual é a renda total, mensal (aproximada) de sua família? Some o seu salário com o de seu cônjuge e com o de seus filhos (que ainda dependem de você).

   1 salário mínimo ( )
   Entre 1 e 2 salários mínimos ( )
   Entre 2 e 3 salários mínimos ( )
   Entre 3 e 4 salários mínimos ( )
   Entre 4 e 5 salários mínimos ( )
   Entre 5 e 10 salários mínimos ( )
   Entre 10 e 15 salários mínimos ( )
   Entre 15 e 20 salários mínimos ( )
   Acima de 20 salários mínimos ( )

12. Você possui seguro de vida?
    Sim ( )
    Não ( )

13. Seus familiares possuem seguro de vida?
    Sim ( )
    Não ( )

14. Qual é a profissão de seu cônjuge?
    ....

15. Qual é a profissão de seus filhos?
    ....

16. Que profissão você gostaria que eles tivessem?
    ....
    ....
    ....

17. Qual é a profissão de seus pais?
    Pai ....
    Mãe ....

18. Você mora:
    Sozinho ( )
    Com a sua família ( )
    Com seus parentes ( )

III – TRABALHO:

1. Este é o seu primeiro emprego?

    Sim ( )

    Não ( )

2. Há quanto tempo você trabalha na empresa?

Menos de 1 ano	( )
Entre 1 e 3 anos	( )
Entre 3 e 5 anos	( )
Entre 5 e 10 anos	( )
Entre 10 e 15 anos	( )
Entre 15 e 20 anos	( )
Entre 20 e 25 anos	( )
Entre 25 e 30 anos	( )
Entre 35 e 40 anos	( )
Mais de 40 anos	( )............ anos

3. Há quanto tempo você trabalha? Some o tempo que você trabalhou antes de entrar para a atual empresa com o tempo que você trabalha nela.

Menos de 1 ano ( )

Entre 1 e 3 anos ( )

Entre 3 e 5 anos ( )

Entre 5 e 10 anos ( )

Entre 10 e 15 anos ( )

Entre 15 e 20 anos ( )

Entre 20 e 25 anos ( )

Entre 25 e 30 anos ( )

Entre 35 e 40 anos ( )

Mais de 40 anos ( )............ anos

4. Além de você, de seu cônjuge e de seus filhos, alguma outra pessoa de sua casa trabalha?

Sim ( ) Quem?..

Não ( )

5. Fora da empresa você tem outra atividade remunerada?

Sim ( ) Qual?...

Não ( )

6. Quanto você ganha por mês com a sua outra atividade?

R$.............................

7. Além de seu trabalho na empresa e da sua outra atividade remunerada, você possui ainda outra fonte de renda?

Sim ( ) Qual?...

Não ( )

8. Qual é a sua renda total mensal (aproximada)?

Some o seu salário com os outros ganhos que você tem fora da empresa.

R$..................................

9. Você ajuda mensalmente no sustento de algum parente ou agregado?

Sim ( )

Não ( )

10. Das pessoas que moram com você, quantas contribuem nas despesas mensais?

    0 ( ) 1 ( ) 2 ( ) 3 ( ) 4 ( ) 5 ( ) 6 ( ) 7 ( ) 8 ( )

11. Você já fez algum empréstimo na empresa nos últimos dois anos?

    Sim ( )

    Quantos? 1 ( ) 2 ( ) 3 ( ) 4 ( ) 5 ( ) 6 ( )

    Não ( )

IV – HABITAÇÃO:

1. Você mora em:

    Casa ( ) Apartamento ( ) Quarto ( ) Pensão ( ) Barraco ( )

2. Qual é o tipo de construção de sua residência?

    Alvenaria ( ) Madeira ( ) Mista ( ) Outro ( )

3. Sua residência é:

    Própria ( ) Alugada ( ) Cedida/emprestada ( ) Mora com seus pais ( )

4. Quantos cômodos tem a residência onde você mora?

    1 ( ) 2 ( ) 3 ( ) 4 ( ) 5 ( ) 6 ( ) 7 ( ) 8 ( ) 9 ( ) 10 ( )

5. Quanto você paga por mês de aluguel ou financiamento de sua residência?

    R$.................................... (aluguel)

    R$......................................(financiamento)

6. Assinale o que a sua residência possui:

Luz elétrica	( )
Água encanada (rede)	( )
Rede de esgoto	( )
Banheiro dentro de casa	( )
Água de poço	( )
Fossa	( )
Esgoto a céu aberto	( )
Banheiro no quintal	( )
Banheiro comunitário/coletivo	( )

7. Assinale quais desses objetos existem em sua residência?

Geladeira ( ) fogão a gás ( ) freezer ( ) TV preto-e-branco ( ) telefone ( ) TV em cores ( ) forno microondas ( ) aspirador de pó ( ) rádio ( ) máquina de lavar ( ) liquidificador ( ) enceradeira ( ) carro ( ) batedeira ( ) bicicleta ( ) aparelho de som ( ) moto ( ) videocassete ( ) DVD ( ) máquina de lavar louça ( )

8. A rua onde você mora:

Tem luz elétrica ( )

É calçada ( )

9. Qual é o bairro onde você mora?

....

V – EDUCAÇÃO:

1. Qual é a sua escolaridade?
    Não freqüentei a escola ( )
    Primeiro grau incompleto (até a 4ª série) ( )
    Primeiro grau completo (até a 8ª série) ( )
    Segundo grau incompleto ( )
    Segundo grau completo ( )
    Superior incompleto ( )
    Superior completo ( )
    Pós-graduação incompleta ( )
    Pós-graduação completa: especialização ( ) mestrado ( ) doutorado ( )
2. Você ainda está estudando?
    Sim ( )
    Não ( )
3. Por que você não está estudando?
    Por causa do horário de trabalho ( ) Por causa do meu salário ( )
    Por causa da minha idade ( ) Não tenho interesse ( )
    Outro motivo ( )..

4. Você gostaria de voltar a estudar?
   Sim ( )
   Não ( )

5. Quantos filhos seus estão estudando?
   Nenhum ( ) 1 ( ) 2 ( ) 3 ( ) 4 ( ) 5 ( ) 6 ( ) 7 ( ) 8 ( )

6. Onde seus filhos estão estudando?
   Em escola pública ( )............................... filhos
   Em escola particular ( )...........................filhos

7. Quanto você paga por mês para você e/ou seus filhos estudarem?
   R$.....................................

8. Na sua casa, todos os que "passaram" da idade escolar sabem ler e escrever?
   Sim ( ) Não ( )

9. Assinale com um X a escolaridade de seu pai, de sua mãe e de seu cônjuge:

	Pai	Mãe	Cônjuge
Não freqüentei a escola	( )	( )	( )
Primeiro grau incompleto (até a 4ª série)	( )	( )	( )
Primeiro grau completo (até a 8ª série)	( )	( )	( )
Segundo grau incompleto	( )	( )	( )
Segundo grau completo	( )	( )	( )
Superior incompleto	( )	( )	( )
Superior completo	( )	( )	( )
Pós-graduação incompleta	( )	( )	( )
Pós-graduação completa: especialização	( )	( )	( )
Mestrado	( )	( )	( )
Doutorado	( )	( )	( )

10. Qual é o meio que você mais utiliza para se manter informado sobre os fatos atuais?
    Jornal escrito ( )   Revistas ( )
    Jornal falado (rádio) ( )   Outras pessoas ( )
    Jornal falado (TV) ( )   Não tenho me mantido informado ( )

VI – TRANSPORTE:

1. Qual é o meio de transporte que você utiliza para ir ao trabalho?
   Carro ( ) ônibus ( ) trem ( ) bicicleta ( ) moto ( ) carona ( )
   metrô ( ) a pé ( ) barca ( )

2. E para voltar para casa?
   Carro ( ) ônibus ( ) trem ( ) bicicleta ( ) moto ( ) carona ( )
   metrô ( ) a pé ( ) barca ( )

3. Quanto tempo você gasta?
   Para chegar ao trabalho:...
   Para chegar em casa:..

4. Qual é a distância aproximada entre a sua residência e a empresa?
   ....km

5. Quantos ônibus ou trens você utiliza para:

	Chegar ao trabalho:		Voltar para casa:	
	ônibus	trem	ônibus	trem
0	( )	( )	( )	( )
1	( )	( )	( )	( )
2	( )	( )	( )	( )
3	( )	( )	( )	( )
4	( )	( )	( )	( )
5	( )	( )	( )	( )

6. Você utiliza vale-transporte?
   Sim ( ) Não ( )

7. Descontando o vale-transporte, quanto você gasta por mês com o seu transporte para trabalhar?
   R$..

VII – SAÚDE:

1. Você tem boas condições de saúde?
   Sim ( )
   Não ( ) Por quê?..

2. Na sua família tem:
   Alguém que bebe (alcoólatra) ( )
   Algum doente físico ( )
   Algum doente mental ( )
   Algum viciado em drogas ( )
   Algum portador de doença crônica ( )

3. Sua família tem algum tipo de assistência médica particular?
   Sim ( )
   Não ( )

4. Se possui, qual é o tipo?
   Amil/Golden Cross/ Unimed/ Assemelhado ( )
   Associado de casa de saúde/clínica/hospital ( )
   Outro:... ( )

5. Você e seus familiares costumam ir regularmente ao dentista?
   Sim ( )
   Não ( )
   Raramente ( )

6. O dentista que atende seus familiares:
   É particular ( )
   Trabalha no SESI/SESC ( )
   Trabalha na empresa ( )
   Trabalha no sindicato ( )
   Outro ( )..

7. Você utiliza o convênio médico-hospitalar da empresa?
   Sim ( )
   Não ( ) Por quê?..

8. Você já sofreu algum acidente de trabalho?
   Sim ( ) Com afastamento? Sim ( ) Não ( )
   Não ( )

9. Próximo da sua residência existe algum hospital ou posto de saúde?
   Sim ( )
   Não ( )

VIII – LAZER/ATIVIDADES SOCIAIS/CULTURAIS:

1. Você gosta de algum esporte?
   Sim ( )
   Não ( )

2. Você pratica ou participa do seu esporte favorito?
   Sim ( )
   Não ( )

3. Qual é o seu esporte favorito?
   Futebol de campo   ( )
   Futebol de salão   ( )
   Voleibol   ( )
   Basquetebol   ( )
   Peteca   ( )
   Natação   ( )
   Tênis   ( )
   Tênis de mesa   ( )
   Caminhada   ( )
   Outro:.. ( )

4. Quando você está de folga, o que mais gosta de fazer?
Marque com o nº 1 a sua principal preferência; com o nº 2 a segunda; e com o nº 3 a terceira preferência.

Assistir a programas de televisão ( )
Fazer pequenos consertos em casa ( )
Descansar ( )
Ir ao cinema ( )
Ler jornal ( )
Ler livro ( )
Ler revista ( )
Visitar amigos ou parentes ( )
Jogar futebol ( )
Jogar voleibol ( )
Jogar cartas ( )
Ir à praia ( )
Ir à igreja ( )
Ir ao baile ( )
Pescar/caçar ( )
Jogar cartas ( )
Ir ao teatro ( )
Fazer ginástica/caminhada ( )
Ouvir música ( )
Dançar ( )
Jogos eletrônicos ( )
Trabalhos manuais (tricô/crochê) ( )
Pintar quadros ( )
Passear ( )
Viajar ( )

5. Você participa de algum trabalho de grupo em sua comunidade ou em seu sindicato?
   Sim ( )
   Não ( )

6. O grupo do qual você participa tem que finalidade?
   Esportiva ( )
   Religiosa ( )
   Filantrópica ( )
   Social ( )
   Sindical ( )
   Política ( )
   Outra:.. ( )

7. Você freqüenta algum clube?
   Sim ( )
   Não ( )

8. Você freqüenta o grêmio da empresa?
   Sim ( )
   Não ( )
   Raramente ( )

9. Você lê jornal?
   Sim ( ) Diariamente ( ) Raramente ( )
   Não ( )

IX – ALIMENTAÇÃO:

1. Em quantos dias da semana você come carne?
   0 ( ) 1 ( ) 2 ( ) 3 ( ) 4 ( ) 5 ( ) 6 ( ) 7 ( )

2. Em quantos dias da semana você come frutas?
   0 ( ) 1 ( ) 2 ( ) 3 ( ) 4 ( ) 5 ( ) 6 ( ) 7 ( )

3. Quantas refeições você faz por dia?
   ....

4. Você faz alguma refeição na empresa?
   Almoço ( ) Jantar ( ) Lanche ( ) Nenhuma ( )

5. Quanto aproximadamente você gasta por mês com alimentação?
   R$..............................

X - GERAL:

1. Assinale com o nº 1 a sua maior despesa mensal; com o nº 2 a sua segunda maior despesa mensal; com o nº 3 a sua terceira maior despesa mensal, e assim por diante:

Habitação (aluguel/financiamento)	( )
Transporte	( )
Educação	( )
Saúde	( )
Lazer	( )
Alimentação	( )
Roupas	( )

TEXTOS SOBRE CLIMA ORGANIZACIONAL

Texto 1: A Insônia do Alto Escalão

A Fundação Dom Cabral, voltada para estudos na gestão de negócios, descobriu um dado alarmante: 66% dos executivos brasileiros estão insatisfeitos com o próprio trabalho. Outros 17% se dizem indiferentes, o que significa que, ao todo, 83% dos profissionais não têm satisfação no dia-a-dia.

O principal motivo é a competição entre colegas, acompanhada da falta de cooperação e de confiança nas equipes, segundo apontou o levantamento realizado em 2000 com mil profissionais. "É como se, para que alguém ganhe, é preciso que alguém perca", diz Betania Tanure de Barros, da Fundação Dom Cabral.

Em outra pesquisa conduzida pela Fundação com 500 executivos, descobriu-se que os mais jovens (com até 40 anos) estão mais preocupados com a própria competência e em manter o emprego. Já diretores e presidentes perdem o sono tentando equilibrar a vida pessoal e o trabalho.

Fonte: Gazeta Mercantil – Empresas e Carreiras – de 23/1/2001.

Texto 2: Clima Organizacional dá Vez e Voz a Funcionários nas Empresas

Empresários, funcionários e consumidores lucram quando o clima nas organizações é de harmonia e satisfação. Por isso, a maioria das grandes empresas brasileiras recorre a profissionais especializados em clima organizacional para melhorar as relações no ambiente de trabalho a partir de reivindicações de seus empregados, fazendo com que eles sejam parte integrante dos negócios.

Clima organizacional é muito mais do que derrubar paredes para aproximar chefes de funcionários. É uma forma de exercitar a democracia nas empresas, pois é baseado em pesquisas que revelam como são as relações entre superiores e subordinados, a satisfação no trabalho e a lealdade dos empregados. A partir dessas pesquisas é possível a elaboração de projetos que aproximem as pessoas das organizações e que façam todos se sentirem úteis, prestigiados e importantes.

Fonte: Jornal do Conselho Regional de Administração – RJ – maio/98.

Texto 3: Pesquisas Ajudam a Medir a Satisfação dos Funcionários

As pesquisas de clima organizacional vêm sendo cada vez mais utilizadas pelas empresas que passaram pelo processo de reestruturação e agora querem sentir de perto a impressão que os colaboradores que permaneceram têm da organização. Entende-se por clima a qualidade do ambiente empresarial o relacionamento interpessoal, o estilo gerencial e a imagem da empresa. O objetivo dessas pesquisas, segundo consultores, é verificar os pontos fortes e fracos da empresa e trabalhar para minimizá-los. Planejamento estratégico, realinhamento da cultura, melhoria de produtividade e rentabilidade, além do estabelecimento de um novo canal de comunicação entre colaborador e empresa são algumas realizações que se tornaram mais simples de serem desenvolvidas a partir do diagnóstico de clima organizacional.

Durante a fase da pesquisa de clima organizacional, alguns pontos são analisados. Exemplos: adaptação da pessoa ao seu trabalho, seu horário e quantidade de trabalho, estilo de relacionamento que existe entre os diversos departamentos de uma empresa, conhecimento dos objetivos e planos da organização, oportunidades de crescimento, centralização ou descentralização das decisões e participação dos funcionários.

Além desses dados, também se faz necessária a realização de uma pesquisa socioeconômica de cada funcionário, abordando dados sobre a família, renda familiar, compromissos financeiros fixos mensais, saúde e lazer familiar, qualidade da alimentação e estilo de habitação.

Existem três metodologias utilizadas para a pesquisa: entrevistas, dinâmica de grupo ou aplicação de questionários. No primeiro caso, ela é executada com maior rapidez mas é difícil de ser mensurada, demorando, em média, de um a dois meses para a conclusão do trabalho. A dinâmica de grupo, por sua vez, demora de dois a três meses, e os grupos devem ser compostos de dez a 25 pessoas e os temas são predefinidos. Já no último caso também se trabalha com temas predefinidos. O que muda de uma para outra são seus custos, prazo de realização e disponibilidade das pessoas.

Segundo alguns consultores, o método mais utilizado é o questionário, no qual o funcionário não precisa se identificar.

Depois do levantamento do clima organizacional, surgem os chamados pontos fracos, que necessitam ser melhorados. Mas se a empresa não estiver preparada para dar respostas aos problemas detectados, a pesquisa de clima, em vez de trazer resultados positivos, poderá piorar ou até criar um clima negativo e pessimista, afirmam alguns consultores.

Como contribuição ao desenvolvimento dos profissionais e da própria organização, o levantamento de clima organizacional tem muito a agregar. Através dele, a empresa pode implementar uma série de procedimentos que visem à melhoria contínua da satisfação dos funcionários, assegurando sua permanência no mercado.

Fonte: Guia de Recursos Humanos – Sul/Sudeste – 1997/98.

Texto 4: Texto Sobre Clima Organizacional Extraído do Balanço Patrimonial do Itaú S.A.

"...Neste exercício, foi mais uma vez realizada a pesquisa de clima organizacional "Fale Francamente" respondida por 71% dos funcionários, cujos resultados indicam clara evolução no nível de satisfação dos funcionários. A pesquisa continua sendo avaliada e dará fundamento a novas melhorias no processo de gestão de pessoas."

Fonte: Balanço Patrimonial do ITAÚ S.A. divulgado na Gazeta Mercantil de 7/3/2002.

O QUE ALGUMAS EMPRESAS ESTÃO FAZENDO PARA MELHORAR O CLIMA E A QUALIDADE DE VIDA NO TRABALHO

Os exemplos abaixo foram extraídos de jornais, revistas e especialmente das 100 Melhores Empresas Para Você Trabalhar, que é uma edição especial da Revista Exame. Alguns podem não mais estar em funcionamento ou até algumas empresas citadas podem não mais existir. Representam extraordinárias ações de melhoria da qualidade de vida do trabalho e do clima organizacional.

Embora cada empresa tenha as suas especificidades e necessidades, não custa ficar atento aos exemplos dessas empresas, que podemos considerar como *benchmarking*.

- Restaurantes onde os funcionários podem controlar as calorias das refeições e com opções de cardápios leves: Citibank; DuPont; IBM.

- Academias/Aulas de Ginástica (especialmente para a coluna), onde os funcionários podem zelar pela boa forma física, fazendo sessões de ginástica e relaxamento: DuPont; Xerox; Medley; Monsanto; TRW; Schering-Plough; Cargill; RM Sistemas (ginástica laboral e massagem mensal antiestresse); Banco Real; Algar. Semanalmente, massagistas atendem funcionários mais estressados: HP; ABB; Ache; BankBoston; Bristol-Myers Squibb. Na American Online, os funcionários fazem ginástica laboral diariamente e, duas vezes por semana, massagem relaxante. No laboratório farmacêutico Asta Médica, há ginástica e dança de salão na fábrica e no escritório. A Redecard e a Movelar oferecem ginástica laboral.

- Criação de Departamento de Ergonomia para estudar e modificar as condições de trabalho (móveis, layout, iluminação etc.): DuPont.

- Campanhas Antifumo: DuPont; IBM; Autolatina.
- Convênios com Centros para Tratamento de Dependência Química: Johnson; Citibank; Villares; Rhodia; DuPont; IBM; Tupy.
- Salão de Beleza: Xerox.
- Comissões de funcionários para discutir políticas da empresa: Weg
- Salário Extra nas Férias: Na Algar, o funcionário recebe uma gratificação superior à exigência legal (de 60 a 100%). Na CPFL, quem sai de férias recebe uma gratificação extra de 910 reais. Na Caraíba Metais os funcionários recebem mais dois terços do salário.
- Horários Flexíveis de Trabalho. Facilitadores no equilíbrio entre trabalho e família: Método; IBM; Union Carbide; Oracle e inúmeras outras empresas. Uma pesquisa realizada pela matriz americana da Johnson & Johnson demonstrou que o absenteísmo entre as pessoas com jornada flexível é 50% menor do que as taxas médias convencionais. A mesma pesquisa revelou que 58% dos empregados ouvidos consideraram a "flexibilidade" muito importante em sua decisão de permanecer na empresa. Na Dow, o funcionário escolhe a que horas deseja começar a trabalhar, entre 7 e 10 horas.
- Ausência ao trabalho um dia por mês: Método
- O Presidente da empresa se reúne com todos os empregados para rever as metas e os resultados financeiros: Siemens Metering.
- Funcionários com filhos têm direito a bolsa de estudos para as crianças até a universidade: Siemens Metering.
- Ajuda de custo para aquisição de material escolar para filhos menores de 7 anos: Siemens Metering.
- Ensino Supletivo (fundamental e médio) para os operários: Siemens Metering. EducaPão, telecurso do Pão de Açúcar.
- TV Fechada para exibição de fitas e vídeos divulgando a cultura, a filosofia e as metas da empresa: Magazine Luiza. Na ArvinMeritor, tem o CinePizza. A empresa disponibiliza equipamento de projeção e pizza para os funcionários assistirem a filmes após o expediente.
- Conselho de Funcionários em cada loja para decidir sobre as contratações e as demissões: Magazine Luiza. Contratações e demissões de associados (funcionários) só com o aval do superior imediato, do diretor da área e do RH (Talentos): Algar.

- Fundo Mútuo/Cooperativa de Crédito: para empréstimos a juros subsidiados: Magazine Luiza; Owens Corning; Pão de Açúcar.
- Grêmio com piscina, campo e playground: Magazine Luiza; Tupy; 3 M; ABB; Tigre; Weg; Bunge Alimentos.
- Cafés da Manhã Com a Diretoria e Encontros Periódicos com os funcionários que trabalham longe da sede para promover a integração e a comunicação: Redecard.
- Quality Excellence Award: Prêmio em viagens, para os funcionários indicados por colegas, por trabalho excepcional: Redecard.
- Kit Bebê, para todos os funcionários: Medley. Kit maternidade para todas as funcionárias: Organon.
- Prêmios por Tempo de Serviço: a cada 5 anos: Medley. Prêmio de R$ 5.700,00 para quem completa 25 anos de empresa a ser gasto em 15 dias de férias: Randon. Anualmente (jantar com a família), a cada 5 anos: meio salário e a partir daí o prêmio vai aumentando: Petroquímica Triunfo. Plano de saúde vitalício para os funcionários que completam 25 anos de empresa: Embraco. Com 10 anos de casa (e depois a cada 5 anos), o funcionário ganha bônus de compra no valor do salário: Pão de Açúcar. Ao completar 25 anos de empresa recebe 15 dias extras de férias e viagem com acompanhante: Marcopolo.
- Pesquisa Semestral de Clima Organizacional: Microsiga. Pesquisa de clima a cada 2 anos para promover melhorias: Belgo. Serasa faz pesquisa anual de satisfação. A Amanco realiza pesquisa de clima anualmente. Na telesp Celular, parte do bônus dos executivos está atrelada à pesquisa de clima que é realizada anualmente.
- Liberação de 8 horas por mês para os Voluntários desenvolverem atividades sociais: Nestlé. Quatro horas por mês para trabalho voluntário: RM Sistemas. Na Amanco, fabricante de tubos e conexões, quem dedica duas horas por semana ao trabalho voluntário pode ganhar até três dias extras de férias. Na Dow, os funcionários dedicam um dia de trabalho em benefício de entidades assistenciais.
- Oportunidade de Carreira Internacional: Multibras; Nestlé; Monsanto; Odebrecht; Oracle; Pharmacia; Embraco; DuPont; Amil; Bunge Alimentos; HP (em 1999, 28 executivos moravam fora do Brasil); IBM; Alcoa; Bristol-Myers Squibb Brasil; Cargill; Goodyear; Boehringer Ingelheim.
- Plano de Previdência Privada para todos os funcionários: Multibras; Organon; Serasa; Banco Real; Petroquímica Triunfo; Embraco; 3 M;

Alcoa; Dow; Tigre; Weg; Belgo; Bristol-Myers Squibb; Bunge Alimentos; Monsanto; Odebrecht; Pfizer; Porto Seguro; Albras; ArvinMeritor; Fras-le; Citibank; Cargill.

✤ O presidente lidera o grupo ComGente, que dissemina e discute as melhores práticas de gestão de pessoas: Natura.

✤ Prêmio de Excelência Nestlé para os 4 melhores projetos de funcionários: R$ 10.000,00 para cada funcionário: Nestlé.

✤ Terapias Alternativas para os funcionários: Nestlé.

✤ Teletrabalho para todos os níveis hierárquicos: Nestlé; Oracle.

✤ Executivos são obrigados a prepararem seus sucessores senão perdem pontos para o bônus: Odebrecht.

✤ A cada ano, os 100 melhores funcionários de agências vão conhecer a sede do Grupo ABN em Amsterdã, Holanda.

✤ Os funcionários trabalham 20 minutos a mais por dia, em troca de 9 dias a mais de folga por ano para resolver assuntos pessoais: Petroquímica Triunfo.

✤ Gratificação de férias no valor de 60 a 100%: Algar. Mais 2/3 de gratificação de férias, além da gratificação legal: Caraíba Metais.

✤ Anualmente, 120 funcionários são escolhidos para serem os "antenas" da fábrica, recebendo, em primeira mão, informações do presidente e diretores, para repassarem aos demais colegas: Fiat.

✤ Anualmente, o presidente reúne 1.200 funcionários para divulgar resultados e os objetivos do próximo ano: Fiat.

✤ Check-Up a cada 2 anos para funcionários com até 39 anos, e anual para aqueles com mais de 40 anos: Xerox.

✤ Carreira/Recrutamento Interno: Na rede de lojas Magazine Luiza, os funcionários que desejem mudar de área podem estagiar no departamento para onde querem mudar, bastando negociar com a chefia e com o RH. Por causa desse programa, 80% das vagas são preenchidas através do recrutamento interno.

✤ Prêmio Destaque do Mês: No McDonald's o melhor atendente de cada restaurante, com desempenho acima da média, recebe Bônus de 25% do salário e sua foto fica exposta em painel. Nas Lojas Renner, os Destaques do Mês de cada loja são escolhidos por clientes ocultos e recebem prêmio em dinheiro e homenagem da empresa e dos colegas.

↳ Período Sabático. No McDonald's o período é de 60 dias para os funcionários de média gerência, que completam 10 anos de casa. No Laboratório farmacêutico Lilly, se o funcionário precisar a empresa dá uma licença sem remuneração de até 2 anos.

↳ Melhor Performance: Na rede de lojas Magazine Luiza o gerente com melhor performance ganha outdoor na cidade com os cumprimentos da empresa.

↳ Participação nos Resultados/Lucros/Bônus/Ações:

Empresa	Participação nos Resultados/Lucros/Bônus/Ações:
Citibank	Todos têm direito a *stock options*. Participação nos lucros para todos. Em 2000 e em 2001 foram 2 salários. A empresa paga 14º salário para todos.
Compacq	*Stock options* para todos.
Condor	Plano de participação nos resultados para todos. Em 2000, rendeu 42,7% do salário nominal.
McDonald's	O plano de participação nos resultados rendeu em 2001, de 70 a 100% do salário.
CPFL	Em 2001, o valor da participação nos lucros foi de R$ 2.750,00 por funcionário.
Gillette	Plano de ações com participação deduzida dos salários.
Multibras	Bônus e participação nos resultados. Dependendo do cargo há possibilidade de receber até 8 salários a mais.
Pharmacia	*Stock options* para o nível gerencial.
Elma Chips	Venda anual de ações a preços subsidiados para funcionários com salário acima de 1.000 reais. Todos os funcionários são elegíveis ao bônus de participação nos lucros.
Redecard	O programa de participação nos lucros pagou até 6 salários na última distribuição.
American Online	O PPR pode corresponder a 10% do salário anual, chegando a 20% para os gerentes.
Credicard	Em 2001, pagou no programa de participação nos resultados, 2,7 salários extras para cargos de analistas e consultores, 3,6 para gerentes e 6,3 para diretores.
Caraíba Metais	A participação nos resultados já chegou a pagar 6 salários.

Empresa	Participação nos Resultados/Lucros/Bônus/Ações:
TRW	Em 2000, a participação nos lucros gerou 760 reais aos não-executivos e 2,2 salários aos gerentes e diretores.
Serasa	Todos têm participação nos resultados. A média é de mais de um salário nominal extra.
Embraco	Em 2000, o programa de participação nos resultados rendeu de 2 a 7,25 salários. Em 2001, pagou em média 1,8 salário para os funcionários, 7,7 salários para os gestores e 10,4 para os diretores.
Pão de Açúcar	Bônus por desempenho e *stock options* para executivos.
Oracle	Funcionários podem destinar até 10% do salário para comprar ações com desconto de 15%.
HP	*Stock options* e plano de participação nos lucros para todos.
Dpaschoal	Funcionários têm direito à compra de ações a preços subsidiados.
3M	Participação nos lucros para todos e bônus trimestral para executivos.
ABB	Em 2000, a participação nos resultados rendeu entre 2 e 3 salários extras.
Orbitall	A participação nos lucros pode render até 4 salários.
Accor	Todos têm acesso ao programa de *stock options*. Em 2000, o plano de participação nos resultados rendeu de 1 a 3 salários.
IBM	*Stock options* para todos.
Intelbras	O plano de participação nos resultados rendeu, em 2000, 4 salários extras para todos os funcionários.
Lilly	Todos têm direito ao plano de ações. Em 1999, quem nunca tinha vendido seu lote de ações possuía cerca de 70.000 reais. O programa de participação nos lucros distribuiu em 1998, entre 1,1 e 5 salários extras.
Dow	Todos têm direito à compra de ações, com 15% de desconto. Em 2000, cada funcionário recebeu 1,2 salário de participação nos resultados.
Weg	O plano de participação nos lucros garantiu, em 2000, 2,7 salários adicionais para todos.
Bristol-Myers Squibb	*Stock options* para todos os funcionários.
Promon	Participação nos lucros com distribuição semestral.
Algar	Pagamento de bônus e gratificações pelo bom desempenho em projetos específicos.

Empresa	Participação nos Resultados/Lucros/Bônus/Ações:
BankBoston	Programa de *stock options* para executivos.
Bradesco	O plano de participação nos resultados rendeu, em 2000, 2 salários em média.
Cargill	O programa de participação nos resultados rendeu, em 2001, de 1,4 a 2 salários a mais para cada funcionário.
Cesa	O programa de participação nos resultados é estendido a todos.
Cetrel	O PPR rendeu 1,5 salário na última distribuição.
Goodyear	Participação nos resultados para todos. Em 2000, foi mais de 1 salário.
Microsiga	Todos têm direito a *stock options*.
Merck Sharp & Dohme	Programa de participação nos resultados para todos. Os gerentes podem recomendar a concessão de ações para funcionários ou equipes que tenham obtido bons resultados.
Monsanto	Plano de ações para todos. Em 2000, o PPR rendeu mais 4 salários.
Microsoft	*Stock options* para todos os funcionários.

✋ Gestão Portas Abertas/Linha Direta/Canal Para Reclamações ou Sugestões:

Empresa	Canal de Comunicação/Gestão Portas Abertas
Alcoa	"A Palavra É Sua" é um e-mail confidencial, direto para o presidente, para reclamações, dúvidas ou sugestões.
Dpaschoal	Linha 0800 (Canal Livre) para funcionários reclamarem quando injustiçados.
Pão de Açúcar	Fale Com o Abílio: funcionário leva, uma vez por mês, sua queixa ou sugestão diretamente ao presidente Abílio Diniz.
Pharmacia	Cada 15 dias, Café da Manhã com o presidente e 2 diretores.
TRW	Disk 1010.
Magazine Luiza	Linha direta com a superintendência para clientes e funcionários para denúncias de qualquer ato que fira os valores e a ética da empresa.
Microsiga	Funcionários têm um canal específico para sugestões ou reclamações anônimas na intranet. Pelo Box Vermelho, mandam mensagens para o presidente. Pelo Box Amarelo, enviam aos vice-presidentes. Realizam, semestralmente, pesquisa de clima.

Empresa	Canal de Comunicação/Gestão Portas Abertas
McDonald's	PAPO - Programa Aberto Para Ouvir. Sem se identificar, o funcionário preenche um aerograma, com porte pago pela empresa, enviando-o ao RH.
Natura	Boca no Trombone: críticas e sugestões enviadas por e-mail ou caixa postal. Elas sempre têm respostas.
Oracle	Política de portas abertas. No Brasil há um representante que não se reporta ao presidente e tem total autonomia para tratar de questões éticas.
Owens Corning	Disk RH: linha telefônica para o funcionário fazer críticas ou elogios.
Tigre	Os funcionários podem se comunicar com o presidente por meio de um e-mail especial e por urnas instaladas pelas unidades. Há cafés da manhã com o presidente em todas as unidades.
Bradesco	Alô Bradesco: sistema eletrônico para reclamações e sugestões dos funcionários à direção executiva.
Marriot	Linha de Integridade 0800, direta com os Estados Unidos, com atendentes em vários idiomas, para queixas e sugestões.
Cargill	Existe uma linha aberta para falar com o presidente. As reclamações podem ser feitas no anonimato. Há ainda uma linha 0800 para ouvir críticas e sugestões dos funcionários.
IBM	Fale Francamente: programa em que o funcionário fala abertamente com a alta gerência sobre qualquer assunto. A política de Portas Abertas dá oportunidade a qualquer profissional que se sentir injustiçado de recorrer ao chefe do seu chefe, ou até mesmo ao presidente.
Merril Linch	Linha 0800 para reclamações ou sugestões dos funcionários.
Dow	Linha 0800 para denunciar maus tratos e injustiças.

✋ Bolsa de Estudos:

Empresa	Bolsa de Estudos
Magazine Luiza	Cobre 30 a 70% da mensalidade para cursos de ensino fundamental, médio, graduação, pós-graduação e idiomas.
Redecard	Cobre 50% da mensalidade de graduação e de especialização para todos os funcionários.
Monsanto	50% para cursos universitários.
Multibras	50% do valor dos cursos de MBA e idiomas.

Empresa	Bolsa de Estudos
Organon	50 a 100% para cursos superiores e 100% para idiomas.
Tupy	50% para ensino médio, cursos superiores e MBA. 100% para ensino fundamental e pós-graduação.
TRW	50 a 100% pós-graduação e idiomas.
Schering-Plough	50 a 100% para cursos superiores, pós-graduação e idiomas.
Serasa	50 a 70% para pós-graduação.
RM Sistemas	50% para graduação e pós-graduação.
Randon	50% em todos os níveis, inclusive pós-graduação e idiomas.
Pharmacia	50% para graduação e 70% para pós-graduação.
Petroquímica Triunfo	90% ensino fundamental e médio, e 50% para faculdade e pós-graduação.
Embraco	50% para faculdade e pós-graduação.
Algar	50% para graduação e pós-graduação, e 70 a 100% para idiomas.
Pão de Açúcar	50% do valor da mensalidade com educação (inclusive mestrado/doutorado).
Xerox	50% para graduação e pós-graduação.
3 M	100% para graduação e 80% para pós-graduação.
Tigre	Graduação ou pós-graduação: até 70%.
Dow	de 75 a 100% para pós-graduação e idioma.
Marcopolo	A empresa paga até 80% do custo da graduação, especialização e mestrado (o percentual é equivalente à média do aluno no curso).
Amil	80% para graduação e idioma, e MBA pode chegar a 100%.
Weg	Até 100% para graduação, pós-graduação ou idiomas.
Bunge Alimentos	50% para graduação, pós-graduação e idiomas.
HP	Reembolso de 70% para cursos de graduação e pós-graduação.
Alcoa	Banca 100% da mensalidade dos cursos universitários e de línguas.
Todeschini	Subsídios de até 80% para cursos técnicos, graduação e pós-graduação.
Casa Verde	Reembolsa até 80% dos cursos de graduação, pós-graduação e idiomas.
Lucent Technologies	Reembolsa até 80% para cursos de graduação, pós-graduação e idiomas.
Porto Seguro	Reembolso de até 45% para cursos superiores e de idiomas.
Redecard	Paga 50% da mensalidade da graduação, especialização e idioma.

Empresa	Bolsa de Estudos
Amanco	Bolsas de estudo de 40 a 60% para graduação, pós-graduação e idiomas.
Fras-le	Subsídio de 50%, em média, para educação em todos os níveis.
Bunge	Bolsas de 50% para cursos superiores, de idiomas e de pós-graduação.
Biosintética	Bolsa de até 70% para cursos superiores, idiomas e pós-graduação.

☞ Demissão:

Empresa	Política de Demissão
Lojas Renner	Para ser demitido, o funcionário deve receber 3 avaliações seguidas com notas abaixo de 5 (escala de 0 a 10) e com mais de 5 anos de empresa só é demitido com a aprovação do presidente.
Dpaschoal	Quem tem mais de 5 anos só é demitido com aprovação dos diretores.
3 M	Os benefícios são estendidos por mais 6 meses. A 3M ajuda na recolocação e orienta na abertura de um negócio próprio.
Xerox	Os funcionários recebem até 18 salários como indenização, plano de saúde por 6 meses, assessoria para recolocação e orientação para abrir um negócio. O gerente imediato e o RH participam ativamente para evitar a demissão.
Gerdau	A política de demissões inclui compensação financeira, *outplacement* e renegociação de financiamentos.
Petroquímica Triunfo	Antes de qualquer demissão, verifica-se a possibilidade de reaproveitar o funcionário em outra área.
Air Liquid	Demitidos têm três meses extras de plano de saúde e os executivos ganham ainda um programa de *outplacement*.
BankBoston	*Outplacement* para os desligamentos involuntários.
Marcopolo	Demissão só com a aprovação do chefe imediato, do gerente e do diretor de recursos humanos. O desligamento não pode ser comunicado numa sexta-feira, no dia do aniversário ou na volta das férias.
Algar	O associado só é demitido após três pareceres: do chefe imediato, do diretor da área e da área de Talentos Humanos.

CONSIDERAÇÕES FINAIS

Gerenciar o clima pressupõe duas preocupações, uma de natureza social e outra econômica. A primeira, remete-nos aos cuidados com a qualidade de vida no trabalho. A segunda, visa melhorar a produtividade das organizações, com o aumento do engajamento, do comprometimento, da motivação de seus empregados.

Recentemente, esse tema vem merecendo destaque. Foi incorporado como um dos componentes dos "critérios de excelência" do Prêmio Nacional da Qualidade.

Segundo Myrna Silveira Brandão, diretora da Associação Brasileira de Recursos Humanos – RJ, as relações de trabalho vêm integrando a pauta de alguns cineastas, interessados em levar para a tela reflexões sobre o impacto do trabalho sobre o ser humano. Ela cita Chaplin, em 1927, quando lançou Tempos Modernos, abordando a alienação do trabalho. Myrna menciona os diretores e irmãos belgas, Luc e Jean-Pierre Dardenne, com Rosetta; o inglês Ken Loach, com The Navigators, ambos focalizando os males do desemprego. Por último, cita o francês Laurent Cantet, que em seu longa Ressources Humaines apresenta um estudo sobre a política de RH na França. Cantet, através do cinema, busca ser uma voz para mostrar como determinadas práticas no mundo das organizações podem afetar pessoas, suas famílias, suas vidas e influir na sociedade. Cantet procura mostrar que o trabalho pode ser uma coisa maravilhosa, uma auto-realização, mas pode ser também uma forma de escravidão, uma perda da dignidade e uma forma de anulação do ser humano.

Outra prova da atualidade e da importância do clima organizacional está na lei aprovada no ano passado pela Assembléia Legislativa do Estado do Rio de Janeiro, que pune, com advertência e demissão, o servidor estadual que causar constrangimentos e humilhações a subordinados ou colegas de trabalho. Trata-se do assédio moral, que é uma forma de perseguição, humilhação, agressão psíquica provocada por alguns gestores, que impõem aos seus subordinados um estilo de gestão pelo medo.

O assédio moral vem atingindo um sem-número de pessoas, que entram em estado de ansiedade, desânimo, insônia, baixa da auto-estima, chegando à depressão e a outros distúrbios psíquicos, que acabam levando-as a ficarem sem condições adequadas para continuar trabalhando. Algumas pessoas se isolam e recorrem até à bebida. É uma violência disfarçada, praticada pelos gestores sobre seus subordinados, que na maioria das vezes sofrem e se calam, com medo de perder o emprego, já que a maioria das empresas não tem políticas para lidar com esse problema.

Segundo a médica do trabalho e professora da PUC/SP Margarida Barreto, que ouviu cerca de duas mil pessoas numa pesquisa que realizou sobre o assédio moral, esse tipo de violência ocasiona desordens emocionais, atinge a dignidade e identidade, altera valores, causa danos psíquicos, interferindo negativamente na saúde e na qualidade de vida, podendo levar as pessoas à morte.

A Revista Exame lançou em 1997, e vem editando a cada ano, uma edição especial denominada Guia Exame – As 100 Melhores Empresas Para Você Trabalhar. O que fica patente, em seus comentários, é que as empresas consideradas pelos seus empregados como as melhores para se trabalhar têm em comum a qualidade da gestão de recursos humanos. São empresas que ouvem seus empregados. São empresas, segundo os editores, que se destacam pela forma como enxergam seus colaboradores. Não os vêem como despesas, mas sim como talentos merecedores de investimento, atenção e respeito. Pessoas que quando têm condições de pôr em prática sua capacidade criativa, conduzem suas empresas a resultados superiores aos da concorrência.

A Fundação Instituto de Pesquisas Contábeis, Atuariais e Financeiras – Fipecafi –, ligada à Universidade de São Paulo, comprovou que investir em pessoas também faz bem para os negócios e que as organizações com melhor ambiente de trabalho são mais lucrativas. A Fundação comparou a rentabilidade do patrimônio líquido das 100 Melhores Empresas Para se Trabalhar com as 500 do anuário Melhores e Maiores, da Exame. Em 2002, a rentabilidade das 100 Melhores Para se Trabalhar foi de 6,2 % contra 3,2% das 500 Maiores empresas; em 2000, de 0,4 contra menos 2,7; em 1999, de 8,4 contra 4,2; em 1998, 6,2% contra 4,8%. A única exceção aconteceu no ano de 2001, quando as 100 Melhores tiveram uma rentabilidade de 6,8% contra 7,3% das 500 Maiores.

Como se vê, gerenciar o clima organizacional é uma ação estratégica, já que a motivação dos trabalhadores representa um imperativo para o sucesso dos negócios.

Como dizem os especialistas em qualidade, o que não se mede não se gerencia. Portanto, é necessário trabalhar com fatos e dados. Avaliar o clima permite às organizações identificar as percepções de seus empregados sobre diferentes aspectos que influenciam o seu bem-estar no trabalho, permite aprimorar continuamente a qualidade do ambiente de trabalho e, conseqüentemente, a qualidade de vida no trabalho. Permite, ainda, identificar oportunidades de melhoria da qualidade dos produtos/serviços, da produtividade, do comprometimento dos empregados com os resultados da empresa e, por conseguinte aumentar a própria rentabilidade das organizações.

Se, por influência deste trabalho, mais empresas se juntarem àquelas que procuram ouvir seus empregados, encarando o clima organizacional como uma preocupação estratégica, sentir-me-ei orgulhosamente recompensado.

REFERÊNCIAS BIBLIOGRÁFICAS

- BARÇANTE, Luiz Cesar e CASTRO, Guilherme Caldas de. *Ouvindo a voz do cliente interno*. Rio de Janeiro: Qualitymark, 1995.
- FERNANDES, Eda Conte. *Qualidade de vida no trabalho*. Salvador, BA: Casa da Qualidade, 1996.
- Gomes, Francisco Rodrigues. *Clima organizacional: um estudo em uma empresa de telecomunicações*. São Paulo: vol. 42, nº 2, p. 95–103, Revista de Administração de Empresas, abril/junho de 2002.
- LUZ, Ricardo Silveira. Clima organizacional. Rio de Janeiro: Qualitymark, 1995.
- LUZ, Ricardo Silveira. *Como tornar o assistente social mais eficaz na empresa – sua importância e atribuições*. Rio de Janeiro: Revista Tendências do Trabalho, nº 23, fevereiro de 1993.
- OLIVEIRA, Marco A. *Pesquisas de clima interno nas empresas: o caso dos desconfiômetros avariados*. São Paulo: Nobel, 1995.
- SOUZA, Edela Lanzer Pereira de. *Clima e cultura organizacionais: como se manifestam e como se manejam*. São Paulo: Edgard Blucher, 1978.

QUALITYMARK EDITORA

Entre em sintonia com o Mundo

Qualitymark Editora Ltda.

Rua José Augusto Rodrigues, 64 – sl. 101
Polo Cine e Vídeo – Jacarepaguá
22275-047 – Rio de Janeiro – RJ
Tels.: (21) 3597-9055 / 3597-9056
Vendas: (21) 3296-7649

E-mail: quality@qualitymark.com.br

www.qualitymark.com.br

Dados Técnicos:

• Formato:	16 x 23 cm
• Mancha:	12 x 19 cm
• Fonte:	Times New Roman
• Corpo:	11
• Entrelinha:	13
• Total de Páginas:	160
• 8ª Reimpressão:	2018